Quick Guide

Quick Guides liefern schnell erschließbares, kompaktes und umsetzungsorientiertes Wissen. Leser erhalten mit den Quick Guides verlässliche Fachinformationen, um mitreden, fundiert entscheiden und direkt handeln zu können.

Weitere Bände in der Reihe
http://www.springer.com/series/15709

Matthias J. Annweiler

Quick Guide Sorgfaltspflichten des Vorstands beim Brexit

Was Vorstände und Aufsichtsräte beachten müssen und wie Aktionäre ihre Rechte durchsetzen können

Matthias J. Annweiler
München, Deutschland

ISSN 2662-9240 ISSN 2662-9259 (electronic)
Quick Guide
ISBN 978-3-658-30185-9 ISBN 978-3-658-30186-6 (eBook)
https://doi.org/10.1007/978-3-658-30186-6

Die Deutsche Nationalbibliothek verzeichnet diese Publikation in der Deutschen Nationalbibliografie; detaillierte bibliografische Daten sind im Internet über http://dnb.d-nb.de abrufbar.

© Der/die Herausgeber bzw. der/die Autor(en), exklusiv lizenziert durch Springer Fachmedien Wiesbaden GmbH, ein Teil von Springer Nature 2020
Das Werk einschließlich aller seiner Teile ist urheberrechtlich geschützt. Jede Verwertung, die nicht ausdrücklich vom Urheberrechtsgesetz zugelassen ist, bedarf der vorherigen Zustimmung des Verlags. Das gilt insbesondere für Vervielfältigungen, Bearbeitungen, Übersetzungen, Mikroverfilmungen und die Einspeicherung und Verarbeitung in elektronischen Systemen.
Die Wiedergabe von allgemein beschreibenden Bezeichnungen, Marken, Unternehmensnamen etc. in diesem Werk bedeutet nicht, dass diese frei durch jedermann benutzt werden dürfen. Die Berechtigung zur Benutzung unterliegt, auch ohne gesonderten Hinweis hierzu, den Regeln des Markenrechts. Die Rechte des jeweiligen Zeicheninhabers sind zu beachten.
Der Verlag, die Autoren und die Herausgeber gehen davon aus, dass die Angaben und Informationen in diesem Werk zum Zeitpunkt der Veröffentlichung vollständig und korrekt sind. Weder der Verlag, noch die Autoren oder die Herausgeber übernehmen, ausdrücklich oder implizit, Gewähr für den Inhalt des Werkes, etwaige Fehler oder Äußerungen. Der Verlag bleibt im Hinblick auf geografische Zuordnungen und Gebietsbezeichnungen in veröffentlichten Karten und Institutionsadressen neutral.

Planung/Lektorat: Vivien Bender
Springer Gabler ist ein Imprint der eingetragenen Gesellschaft Springer Fachmedien Wiesbaden GmbH und ist ein Teil von Springer Nature.
Die Anschrift der Gesellschaft ist: Abraham-Lincoln-Str. 46, 65189 Wiesbaden, Germany

Vorwort

Der *Brexit* und seine Auswirkungen stellen eine bislang ungekannte Herausforderung für die europäische Wirtschaft dar. Die Mitgliedstaaten der Europäischen Union und das Vereinigte Königreich haben sich schon im Rahmen des Austrittsabkommens darum bemüht und werden sich auch bei den Verhandlungen zu einem möglichen Freihandelsabkommen darum bemühen, dass die Auswirkungen des *Brexit* für die Beteiligten auf beiden Seiten des Ärmelkanals so gering wie möglich bleiben. Dennoch kann bereits jetzt vorhergesagt werden, dass die Entflechtung der europäischen Beziehungen sowie der faktische Wegfall des europäischen Binnenmarktes und der Zollunion nach Ablauf des Übergangszeitraums unter anderem auf deutsche Unternehmen einen erheblichen wirtschaftlichen Einfluss haben wird.

Im Rahmen meiner praktischen Tätigkeit als Rechtsanwalt berate ich meine Mandanten täglich zu der Frage, wie sie ihre jeweiligen bestehenden oder zukünftigen Investitionen vor zumeist (noch) nicht abschätzbaren Auswirkungen äußerer Ereignisse schützen können. Der *Brexit* stellt für viele dieser Investoren ein solches äußeres Ereignis dar, das einen erheblichen Einfluss auf den Wert ihrer Kapitalanlage haben wird. Ein *Brexit* hat sich über mehrere Jahre hinweg abgezeichnet.

Gleichwohl haben kaum Unternehmen rechtzeitig Vorkehrungen getroffen, um diesem Umstand Rechnung zu tragen, sei es z. B. durch die Anpassung von Kunden- und Zuliefererverträgen oder eine gesellschaftsrechtliche und steuerliche Anpassung der Unternehmensstruktur. Soweit sich diese Ereignisse dann erwartungsgemäß einstellen, stellt sich für die Investoren stets die Frage, ob und in welchem Umfang sie sich bei der Unternehmensleitung schadlos halten können.

Dieses Buch ist daher in erster Linie für die praktische Anwendung durch Vorstände, Aufsichtsratsmitglieder und Aktionäre gedacht, die an einer vom *Brexit* betroffenen Aktiengesellschaft beteiligt sind. Es soll ihnen als umfassende Grundlage zur Erörterung rechtlicher Handlungsoptionen dienen, um ihren jeweiligen Pflichten ordnungsgemäß nachzukommen bzw. um ihre jeweiligen Rechte wahrzunehmen. Der Rechtskundige kann sich überdies durch die enthaltenen Norm- und Literaturverweise ein vertieftes und fachlich fundiertes Bild machen.

Es ist dabei verständlich, dass dieses Buch keine Rechtsberatung für den Einzelfall darstellen kann und will. Dies schon allein deshalb nicht, weil nahezu jedes international tätige Unternehmen in Deutschland vom *Brexit* betroffen ist bzw. von seinen Auswirkungen nach dem Ablauf des Übergangszeitraums betroffen sein wird. Die Betroffenheit ist daher so vielgestaltig, dass sie in den Grenzen eines Buches nicht vollständig gewürdigt werden könnte. Es finden sich hierin jedoch zahlreiche Beispiele, um die Betroffenheit einzelner Teilbereiche des Unternehmens durch den *Brexit* zu veranschaulichen.

Dieses Buch berücksichtigt die Ereignisse im Zusammenhang mit dem *Brexit* bis einschließlich März 2020.

Großer Dank gebührt schließlich meiner Frau Addi für ihre unermüdliche Geduld, die sie mir während der Erstellung dieses Buches entgegengebracht hat, sowie ihrer motivierenden Unterstützung, die mich an zahllosen Wochenenden und freien Abenden dieses Buch hat fertigstellen lassen.

München
April 2020

Matthias J. Annweiler

Inhaltsverzeichnis

1	**Einleitung**	1
1.1	Die Bedeutung deutsch-britischer Wirtschaftsbeziehungen	2
1.2	Wie begegnet der Vorstand dem Brexit?	3
	Literatur	6
2	**Der EU-Austritt des Vereinigten Königreichs**	7
2.1	Road to Brexit – Historische Darstellung der Ereignisse	8
	2.1.1 Vorgeschichte	8
	2.1.2 Referendum	10
	2.1.3 Austrittsverfahren	11
	2.1.4 Austrittsabkommen und Übergangszeitraum	14
2.2	Wirtschaftliche Auswirkungen auf vertragliche Beziehungen	17
	2.2.1 Mögliche Szenarien nach Ablauf des Übergangszeitraums	17
	2.2.2 Auswirkungen auf grenzüberschreitende vertragliche Beziehungen	23

2.3	Rechtliche Einordnung des Brexit	27
	2.3.1 Rechtsgrundsätze nach deutschem Recht	28
	2.3.2 Internationale Rechtsfiguren	38
Literatur		43

3 Sorgfaltspflichten des Vorstandes einer Aktiengesellschaft   47
    3.1 Sorgfaltspflichten und Verantwortlichkeit des Vorstandes im Allgemeinen   48
        3.1.1 Sorgfaltspflichten   49
        3.1.2 Verantwortlichkeit   54
    3.2 Sorgfaltspflichten und Verantwortlichkeit des Vorstandes beim Brexit   61
        3.2.1 Sorgfaltspflichten   61
        3.2.2 Verantwortlichkeit   68
    Literatur   72

4 Konsequenzen aus der Verletzung von Sorgfaltspflichten   75
    4.1 Schadensersatz   76
        4.1.1 Voraussetzungen   76
        4.1.2 Pflicht des Aufsichtsrates zur Geltendmachung   80
    4.2 Abberufung   81
        4.2.1 Vorliegen eines wichtigen Grundes   81
        4.2.2 Vorbeugende Maßnahmen   85
        4.2.3 Zuständigkeit   85
    Literatur   87

5 Schluss   89

Abkürzungsverzeichnis

a.A.	anderer Ansicht
a.a.O.	am angegebenen Ort
a.E.	am Ende
AEUV	Vertrag über die Arbeitsweise der Europäischen Union
allg.M.	allgemeine Meinung
Art.	Artikel
Aufl.	Auflage
Az.	Aktenzeichen
BAnz.	Bundesanzeiger
BB	Betriebs-Berater
BBC	British Broadcasting Corporation
Bd.	Band
BeckRS	Beck-Rechtsprechung
BGB	Bürgerliches Gesetzbuch
BGBl.	Bundesgesetzblatt
BGH	Bundesgerichtshof
BJM	British Journal of Management
ca.	circa
CISG	United Nations Convention on Contracts for the International Sale of Goods
Corp. Gov. Advisor	The Corporate Governance Advisor

d.h.	das heißt
DCGK	Deutscher Corporate Governance Kodex
ders./dies.	derselbe/dieselben
Doc.	Document
DStR	Deutsches Steuerrecht
dt.	deutsch
Ed.	Editor
Edn.	Edition
et al.	et alii/aliae/alia
EL	Ergänzungslieferung
ELTE L. J.	Eötvös Loránd Tudományegyetem Law Journal
ER	English Reports
EU	Europäische Union
EUV	Vertrag über die Europäische Union
EuZW	Europäische Zeitschrift für Wirtschaftsrecht
f.	folgende
FAZ	Frankfurter Allgemeine Zeitung
FIDIC	Fédération Internationale des Ingénieurs Conseils
GbR	Gesellschaft bürgerlichen Rechts
gem.	gemäß
GmbH	Gesellschaft mit beschränkter Haftung
GmbHG	Gesetz betreffend die Gesellschaft mit beschränkter Haftung
GWR	Gesellschafts- und Wirtschaftsrecht
h.L.	herrschende Lehre
h.M.	herrschende Meinung
Hrsg.	Herausgeber(in)
i.d.R.	in der Regel
IDW	Institut der Wirtschaftsprüfer in Deutschland
IPA	Institute of Public Affairs
J. Int'l Arb.	Journal of International Arbitration
JCL	The Journal of Corporation Law
JuS	Juristische Schulung
KB	King's Bench
KG	Kammergericht
LAG	Landesarbeitsgericht

LG	Landgericht
lit.	littera/litteras
LR	Law Report
m.w.N.	mit weiteren Nachweisen
MHdB GesR	Münchener Handbuch des Gesellschaftsrechts
MPR	Zeitschrift für das gesamte Medizinprodukterecht
Mrd.	Milliarden
MüKo	Münchener Kommentar
NJW	Neue Juristische Wochenschrift
NJW-RR	Neue Juristische Wochenschrift – Rechtsprechungs-Report
Nr.	Nummer(n)
NVwZ	Neue Zeitschrift für Verwaltungsrecht
NZG	Neue Zeitschrift für Gesellschaftsrecht
o.V.	ohne Verfasser
OECD	Organization for Economic Co-Operation and Development
oHG	offene Handelsgesellschaft
OLG	Oberlandesgericht
Pécs J. Int'l & Eur. L.	Pécs Journal of International and European Law
Pepp. L. Rev.	Pepperdine Law Review
PStR	Praxis Steuerstrafrecht
QB	Queen's Bench
Rspr.	Rechtsprechung
Rn.	Randnummer(n)
s.	siehe
S.	Satz
s.o.	siehe oben
s.u.	siehe unten
sog.	sogenannt/-e/-er
St. Rspr.	Ständige Rechtsprechung
u.a.	unter anderem
u.U.	unter Umständen
UMAG	Gesetz zur Unternehmensintegrität und Modernisierung des Anfechtungsgesetzes
umstr.	umstritten

UN	United Nations
v.	versus
Var.	Variante
vgl.	vergleiche
VOB/B	Vergabe- und Vertragsordnung für Bauleistungen Teil B: Allgemeine Vertragsbedingungen für die Ausführung von Bauleistungen
Vol.	Volume
WÜRV	Wiener Übereinkommen über das Recht der Verträge
z.B.	zum Beispiel
ZVertriebsR	Zeitschrift für Vertriebsrecht

1
Einleitung

Der Austritt des Vereinigten Königreichs[1] aus der Europäischen Union (sog. „*Brexit*")[2] ist ein bislang beispielloser Vorgang. Verständlicherweise sind die in Bezug auf einen *Brexit* zu treffenden Vorkehrungen und die genauen Modalitäten des *Brexit* selbst den beteiligten Akteuren, namentlich der Europäischen Union (EU) und ihren Mitgliedsstaaten, daher neu und – wenngleich im Recht der EU umrissen – unbekannt.[3] Nachdem das Vereinigte Königreich die Europäische Union mit Ablauf des 31. Januar 2020 verlassen hat und ein befristetes Austrittsabkommen in Kraft getreten ist, werden sich die Auswirkungen des *Brexit* voraussichtlich am 31. Dezember 2020, dem Ende des sog. „Übergangszeitraums", verwirklichen. Der Abschluss eines gemeinsamen Vertragswerks (z. B. eines Freihandelsabkommens) zwischen der EU

---

[1]Vollständige Bezeichnung: „Vereinigtes Königreich von Großbritannien und Nordirland" (im englischen Original: „*United Kingdom of Great Britain and Northern Ireland*"), bestehend aus den Landesteilen England, Wales, Schottland und Nordirland.

[2]„*Brexit*" ist ein Kofferwort, das durch Amalgamierung aus den Worten „*Britain*" und „*Exit*" entstanden ist.

[3]Zur schwierigen Bestimmung der rechtlichen Regelungen des Austritts s. *Kiss*, Unilateral Withdrawal of a Member State?, Pécs J. Int'l & Eur. L. (2018), 36 (41).

© Der/die Herausgeber bzw. der/die Autor(en), exklusiv lizenziert durch Springer Fachmedien Wiesbaden GmbH, ein Teil von Springer Nature 2020
M. J. Annweiler, *Quick Guide Sorgfaltspflichten des Vorstands beim Brexit*, Quick Guide, https://doi.org/10.1007/978-3-658-30186-6_1

und dem Vereinigten Königreich noch vor dem Ende des Übergangszeitraums, das die Auswirkungen des *Brexit* abmildern könnte, gilt als äußerst unwahrscheinlich. Daher wird das Vereinigte Königreich aller Voraussicht nach zu Beginn des Jahres 2021 nicht mehr Teil der Zollunion und des EU-Binnenmarktes sein. Diese „Abtrennung" des Vereinigten Königreichs u. a. von Deutschland, wird erhebliche Auswirkungen auf den Verkehr mit Waren, Dienstleistungen und Kapital sowie auf die Personenfreizügigkeit zwischen beiden Staaten haben.

1.1 Die Bedeutung deutsch-britischer Wirtschaftsbeziehungen

Deutschland und das Vereinigte Königreich bzw. die dort jeweils beheimateten Unternehmen unterhalten enge Wirtschaftsbeziehungen: Das Vereinigte Königreich ist für Deutschland der drittwichtigste Exportmarkt, deutsche Exporte dorthin hatten 2017 einen Wert von *ca.* 85,4 Mrd. EUR, Importe nach Deutschland hatten einen Wert von *ca.* 37 Mrd. EUR.[4] Allein die deutsche Automobilindustrie erzielte 2017 Umsätze von *ca.* 40,1 Mrd. EUR im Vereinigten Königreich und damit mehr als ein Viertel der dortigen deutschen Gesamtumsätze.[5] Die im Vereinigten Königreich tätigen DAX-Konzerne erzielten einen Umsatz von *ca.* 91 Mrd. EUR,[6] wobei die auf das Vereinigte Königreich entfallenden Umsätze zwischen 5,6 und 17,8 % des Gesamtumsatzes der jeweiligen Unternehmen ausmachten.[7] An diesen Zahlen zeigt sich, dass deutsche Unternehmen einen nicht unerheblichen Teil ihrer Geschäftsbeziehungen im oder mit Unternehmen im Vereinigten Königreich haben.

---

[4] *O. V.,* Deutschland und Großbritannien/Vereinigtes Königreich: bilaterale Beziehungen, Auswärtiges Amt, 23.07.2019.
[5] *O. V.,* Die Verbundenheit deutscher Sektoren mit dem Vereinigten Königreich, Deloitte Brexit Briefing, März 2017, 3.
[6] A. a. O., 10.
[7] A. a. O., 18.

Folglich wird der *Brexit* bzw. werden seine Auswirkungen zum Ende des Übergangszeitraums einen erheblichen wirtschaftlichen Einfluss auf deutsche Unternehmen haben. Für die Fortsetzung bzw. Abwicklung dieser grenzüberschreitenden Geschäftsbeziehungen stellen sich nicht nur in Ansehung der zum jetzigen Zeitpunkt immer noch unklaren Regelungen zur Fortsetzung der Handelsbeziehungen nach dem Ende des Übergangszeitraums, sondern auch grundsätzlich zahlreiche Fragen für die betroffenen Unternehmen: Welche Auswirkungen wird der *Brexit* auf diese Geschäftsbeziehungen und in diesem Rahmen nach deutschem Recht geschlossene Verträge haben? Haben die Verträge auch weiterhin Bestand oder müssen bzw. sollten sie angepasst werden? Wer trägt das Risiko und die Verantwortung, wenn die grenzüberschreitenden Geschäftsbeziehungen gar nicht oder nur noch unter erheblich erschwerten Bedingungen vollzogen werden können? Welche Aufgabe kommt dabei dem Vorstand einer deutschen Aktiengesellschaft (AG) zu und welche Maßnahmen muss er ergreifen, um nachteilige Auswirkungen des *Brexit* von der AG fern zu halten? Und schließlich: Wie und von wem kann das einzelne Vorstandsmitglied zur Rechenschaft gezogen werden, wenn die AG beim *Brexit* Schaden nimmt?

1.2 Wie begegnet der Vorstand dem Brexit?

Die maßgebliche Bewältigung der durch den *Brexit* aufgeworfenen Fragestellungen und Aufgaben kommt in den betroffenen deutschen Unternehmen jeweils der Geschäftsleitung zu – bei der Aktiengesellschaft dem Vorstand.[8] Der Vorstand muss im Rahmen der Geschäftsführung stets evaluieren, ob und welche Maßnahmen das Unternehmen treffen sollte sowie wann und in welchem Umfang etwaige Maßnahmen umgesetzt werden. Der im Rahmen der Geschäftsführung vom Vorstand anzuwendende Sorgfaltsmaßstab ergibt sich grundsätzlich aus § 93 AktG, der „Sorgfaltspflicht und Verantwortlichkeit der Vorstandsmitglieder" normiert. Die konkrete Bestimmung dieses Maßstabs

---

[8]Vgl. § 76 Abs. 1 AktG.

kann jedoch von mehreren Faktoren beeinflusst werden und muss daher für jeden Einzelfall gesondert ermittelt werden.[9] Verständlicherweise ergeben sich dadurch Unsicherheiten in der Bewertung. Schon bei der Frage, ob der Vorstand auch bestimmte betriebswirtschaftliche Management- oder Organisationsmodelle befolgen bzw. einsetzen muss, etwa um die unternehmensinterne *Compliance* sicherzustellen, lässt sich keine einheitliche Antwort finden.[10] Diese Unsicherheit hat sich in der jüngeren Vergangenheit insbesondere im Zusammenhang mit den sog. „*cum/ex*-Geschäften" gezeigt, bei denen sich Finanzinstitute doppelte Steuererstattungen im Zusammenhang mit Termingeschäften auszahlen ließen.[11]

Für den vom Vorstand im Rahmen des *Brexit* anzuwendenden Sorgfaltsmaßstab sind zunächst die rechtliche Bewertung des *Brexit* selbst und seine Auswirkungen auf die grenzüberschreitenden Geschäftsbeziehungen der hier betrachteten AG maßgeblich. Kernfrage ist mithin: Was ist der *Brexit* und wie beeinflusst er die Sorgfaltspflichten des Vorstandes? Vor dem Hintergrund des am 31. Januar 2020 erfolgten *Brexit* und des unmittelbar bevorstehenden Ablaufs des Übergangszeitraums am 31. Dezember 2020, wird der Vorstand die meisten Entscheidungen schon getroffen haben müssen, um etwaige nachteilige Auswirkungen des *Brexit* bzw. des nunmehr auf den 31. Dezember 2020 „verschobenen *Brexit*" auf die von ihm geleitete AG abzumildern. Praktische Auswirkungen hat die Bewertung der Sorgfaltspflichten insbesondere für den Fall, dass der Vorstand keine entsprechenden Maßnahmen getroffen hat und der AG durch den *Brexit* tatsächlich ein Schaden oder ein sonstiger (betriebswirtschaftlicher) Nachteil entsteht.

---

[9]S. u. 3.1.1.1.
[10]Ablehnend: *Spindler*, in: *Goette et al.*, MüKo AktG, Bd. 2, 5. Aufl. (2019), § 93, Rn. 37, 88; wohl im Ergebnis bejahend: *Hoffmann/Schieffer*, Pflichten des Vorstands bei der Ausgestaltung einer ordnungsgemäßen Compliance-Organisation, NZG (2017), 401 (407); zum Streitstand und m.w.N.: *Reichert/Ott*, Die Zuständigkeit von Vorstand und Aufsichtsrat zur Aufklärung von Non Compliance in der AG, NZG (2014), 241 (242).
[11]Im Einzelnen: *Florstedt*, Cum/ex-Geschäfte und Vorstandshaftung, NZG 2017, 601 ff.; zur strafrechtlichen Bewertung vgl. *Külz/Valder*, „Cum-Ex"-Deals: Wann ist der Tatbestand der Steuerhinterziehung verwirklicht?, PStR 2016, 13 ff.

Diese möglichen Nachteile haben ihre Auswirkungen nicht nur unmittelbar bei der AG, sondern mittelbar auch bei ihren Eigentümern, namentlich den in der Hauptversammlung zusammengeschlossenen Aktionären, deren Kapitalanlage durch ein Fehlverhalten des Vorstandes im Zusammenhang mit dem *Brexit* an Wert verliert oder in Extremfällen möglicherweise vollständig vernichtet wird. Wenngleich die Aktie als Wertpapier am Kapitalmarkt immer auch gewissen konjunkturellen Schwankungen – auch und insbesondere durch den *Brexit* – unterliegt, wird der Vorstand über mögliche Vorkehrungen und Konsequenzen zur Vorbeugung eines vermeidbaren Schadens gegenüber den Aktionären Rechenschaft ablegen müssen. Die Aktionäre bzw. die Hauptversammlung und der Aufsichtsrat werden dann nach Möglichkeiten suchen (müssen), um fehlerhafte Entscheidungen des Vorstandes im Zusammenhang mit dem *Brexit* zu sanktionieren.

Ob und welche Möglichkeiten den Beteiligten zur Sanktionierung des Vorstandes zur Verfügung stehen, ist gerade bei der Aktiengesellschaft nicht ganz unproblematisch, denn bei der AG ergibt sich insoweit – und anders als bei anderen Kapitalgesellschaften – eine Besonderheit: Während z. B. die Gesellschafter, d. h. die Eigentümer, einer GmbH ihren Geschäftsführer jederzeit abberufen können,[12] kann der Vorstand einer Aktiengesellschaft nur durch den Aufsichtsrat und nur aus „wichtigem Grund" abberufen werden.[13] Die Hauptversammlung bzw. die Aktionäre können den Vorstand nicht direkt abberufen, sodass ihr insoweit keine direkten Sanktionsmöglichkeiten zustehen.

Im Zusammenhang mit dem *Brexit* und dem nahenden Ende des Übergangszeitraums werden die Aktionäre zur Sicherung ihrer Kapitalanlage allerdings möglicherweise dennoch einerseits eine Abberufung des Vorstandes und andererseits eine Entschädigung vom Vorstand verlangen wollen, wenn dieser seinen Sorgfaltspflichten nicht nachkommt bzw. nachgekommen ist. Aufgrund der oben dargestellten strukturellen

---

[12]Sog. „Widerruf der Bestellung", vgl. § 38 Abs. 1 GmbHG; *Zöllner/Noack*, in: *Baumbach/Hueck*, GmbHG, 21. Aufl. 2017, § 38, Rn. 3 ff.
[13]Vgl. § 84 Abs. 3 AktG.

Besonderheit in der AG liegen die Handlungsoptionen für Aktionäre allerdings nicht zweifelsfrei auf dem Tisch. Ob und wie mögliche Handlungsoptionen in der Praxis durchsetzbar sind, wird in den folgenden Kapiteln erläutert.

Literatur

Baumbach A, Hueck A (2017) Gesetz betreffen die Gesellschaft mit beschränkter Haftung, 21. Aufl. C.H. Beck, München

Florstedt T (2017) Cum/ex-Geschäfte und Vorstandshaftung – Zur Reichweite des Vertrauensschutzes beim Rechtsirrtum, NZG. C.H. Beck, München, S 601–611

Goette W, Habersack M, Kalss S (Hrsg) (2019) Münchener Kommentar zum Aktiengesetz, vol 2, 5. Aufl. C.H. Beck, München

Hoffmann AC, Schieffer A (2017) Pflichten des Vorstands bei der Ausgestaltung einer ordnungsgemäßen Compliance-Organisation, NZG. C.H. Beck, München, S 401–407

Kiss LN (2018) Unilateral withdrawal of a member state? Some Thoughts on the legal dimensions of Brexit, Pécs J. Int'l & Eur. L., S 36–46

Külz P, Valder M (2016) „Cum-Ex"-Deals: Wann ist der Tatbestand der Steuerhinterziehung verwirklicht?, PStR. IWW, Würzburg, S 13–15

o. V. Deutschland und Großbritannien/ Vereinigtes Königreich: bilaterale Beziehungen, Auswärtiges Amt, 23.07.2019. https://www.auswaertiges-amt.de/de/aussenpolitik/laender/grossbritannien-node/bilateral/206396. Zugegriffen: 9. März 2020

o. V. Die Verbundenheit deutscher Sektoren mit dem Vereinigten Königreich, Deloitte Brexit Briefing, März 2017. https://www2.deloitte.com/content/dam/Deloitte/de/Documents/Brexit/Brexit-Briefings_Pt3_German-Industry-Impact.pdf. Zugegriffen: 9. März 2020

Reichert J, Ott N (2014) Die Zuständigkeit von Vorstand und Aufsichtsrat zur Aufklärung von Non Compliance in der AG, NZG. C.H. Beck, München, S 241–251

2

Der EU-Austritt des Vereinigten Königreichs

> **Was Sie aus diesem Kapitel mitnehmen**
>
> - Grundlagen – wie kam es zum *Brexit*?
> - Regelungen des EU-Austrittsabkommens und Bedeutung des sog. „Übergangszeitraums"
> - Mögliche Szenarien für das Verhältnis zwischen EU und Vereinigtem Königreich nach Ablauf des Übergangszeitraums
> - Auswirkungen des *Brexit* auf Geschäftsbeziehungen zwischen deutschen und britischen Unternehmen
> - Rechtliche Qualifizierung des *Brexit* nach deutschem Recht und nach internationalen Rechtsfiguren
> - Notwendigkeit zur Anpassung bestehender Verträge mit Unternehmen im Vereinigten Königreich

Zunächst und gewissermaßen als Grundlage für die spätere rechtliche Einordnung werden in diesem Kapitel die Rahmenbedingungen untersucht, die zu einer Sorgfaltspflicht bzw. einer Sorgfaltspflichtverletzung des Vorstandes der AG beigetragen haben könnten. Diese werden maßgeblich durch die historischen Ereignisse, die zum *Brexit* geführt haben, sowie die verschiedenen möglichen Szenarien für das zukünftige Verhältnis zwischen der EU und dem Vereinigten Königreich sowie ihre wirtschaftlichen Auswirkungen auf vertragliche Beziehungen zwischen deutschen und britischen Unternehmen bestimmt. Schließlich ist von erheblicher Bedeutung ob der *Brexit per se* eine Auswirkung auf bestehende Verträge hat, etwa mit der Folge, dass diese entweder unwirksam oder kündbar werden oder angepasst werden müssten.

2.1 Road to Brexit – Historische Darstellung der Ereignisse

Zwischen dem Referendum und dem *Brexit* lagen zahlreiche Ereignisse, die Auswirkungen auf die Sorgfaltspflichten des Vorstandes haben könnten. Es ist anzunehmen, dass sich die Sorgfaltspflichten des Vorstandes mit fortschreitendem Zeitablauf soweit verdichten werden, dass zunächst (rechtlicher) Rat einzuholen ist, dann Pläne für Maßnahmen in verschiedenen, denkbaren Szenarien entworfen werden müssen und schließlich konkrete Handlungen vorgenommen werden müssen. Wann diese Maßnahmen ergriffen werden mussten bzw. müssen, hängt wiederum von den Ereignissen ab, die zum *Brexit* geführt haben. Für die Bestimmung der Sorgfaltspflichten des Vorstandes ist es daher notwendig, diese Ereignisse in zeitlicher und sachlicher Hinsicht nachzuvollziehen.[1]

2.1.1 Vorgeschichte

Am 25. März 1957 unterzeichneten die Vertreter von Belgien, Deutschland, Frankreich, Italien, Luxemburg und den Niederlanden in Rom den Vertrag zur Gründung der Europäischen Wirtschaftsgemeinschaft (EWG-Vertrag).[2] Der EWG-Vertrag bildete fortan gemeinsam mit dem gleichzeitig unterzeichneten Vertrag zur Gründung der Europäischen

---

[1] Für die sozialen und demographischen Ursachen des *Brexit* vgl. *Walshe,* The Long Road to Brexit, Foreign Policy 2018, 47 ff.
[2] In Kraft getreten am 01.01.1958; abgedruckt in: BGBl. II (1957), 766.

Atomgemeinschaft (Euratom-Vertrag)[3] und dem bereits am 18. April 1951 von denselben Vertragsparteien in Paris unterzeichneten Vertrag über die Gründung der Europäischen Gemeinschaft für Kohle und Stahl (EGKS-Vertrag)[4] die Grundlage für die Europäischen Gemeinschaften (EG). Diese Verträge wurden im Wesentlichen durch den am 7. Februar 1992 in Maastricht von den EG-Mitgliedsstaaten unterzeichneten Vertrag über die Europäische Union (EUV) ersetzt,[5] mit dem die Europäische Union (EU) in ihrer heutigen Form als Staatenverbund geschaffen wurde.[6]

Das Vereinigte Königreich war nicht an der Gründung der EWG bzw. seiner Teil- und Vorgängerorganisationen beteiligt, sondern hatte am 4. Januar 1960 zunächst gemeinsam mit Dänemark, Norwegen, Österreich, Portugal, Schweden und der Schweiz das Übereinkommen zur Errichtung der Europäischen Freihandelsassoziation (EFTA-Übereinkommen) unterzeichnet.[7] Die Europäische Freihandelsassoziation (*European Free Trade Association;* EFTA) und die EWG wurden als Konkurrenzorganisationen wahrgenommen, weil ihrer beider Zweck in einer wirtschaftlichen Verbindung ihrer Mitgliedsstaaten besteht, insbesondere durch den Abbau von Handelsschranken.[8] Die EFTA-Mitglieder erhofften sich zudem, durch Bündelung ihrer gemeinsamen Interessen, eine stärkere Verhandlungsposition bei der Annäherung an die EWG zu haben.

Nachdem sich diese Hoffnung nicht erfüllte und die Entwicklung der Wirtschaft in den EWG-Mitgliedsstaaten schneller als in den

---

[3]In Kraft getreten am 01.01.1958; abgedruckt in: BGBl. II (1957), 1014.
[4]In Kraft getreten am 23.07.1952; abgedruckt in: BGBl. II (1951), 447.
[5]Der Euratom-Vertrag besteht allerdings bis heute neben den Verträgen der EU als eigener Vertrag fort. Ob ein Ausscheiden des Vereinigten Königreichs aus der EU auch gleichzeitig ein Ausscheiden aus dem Euratom-Vertrag nach sich zieht, ist umstr.
[6]Zum Begriff „Staatenverbund" vgl. grundlegend BVerfG, Urteil vom 12.10.1993 – 2 BvR 2134/92 und 2 BvR 2159/92, in: NJW 1993, 3047 (3050) sowie *Pechstein*, in: Streinz, EUV/AEUV, 3. Aufl. 2018, Art. 1 EUV, Rn. 12.
[7]In Kraft getreten am 03.05.1960; aktuelles und konsolidiertes EFTA-Übereinkommen abrufbar unter: https://www.efta.int/sites/default/files/documents/legal-texts/efta-convention/Vaduz%20Convention%20Agreement.pdf (zuletzt abgerufen am 09.03.2020).
[8]Vgl. Art. 3 EWG-Vertrag und Art. 2 EFTA-Übereinkommen.

EFTA-Mitgliedstaaten voranschritt, entschied sich das Vereinigte Königreich im Jahr 1961 dazu, den Beitritt zur EWG zu beantragen. Dieser Beitrittsantrag und ein weiterer Antrag im Jahr 1967 scheiterten am Widerspruch des französischen Präsidenten *Charles de Gaulle*, der dem Vereinigten Königreich eine „tief verwurzelte Feindschaft gegenüber dem europäischen Aufbau" vorwarf und der Wirtschaft des Vereinigten Königreichs eine „Unvereinbarkeit mit dem europäischen Binnenmarkt" attestierte.[9] Erst nach dem Rücktritt *de Gaulles* am 28. April 1969 beantragte das Vereinigte Königreich im Jahr 1970 zum dritten Mal die Mitgliedschaft in der EWG. Der Antrag wurde nach fast zwei Jahre dauernden Beitrittsverhandlungen am 18. Oktober 1972 durch Hinterlegung der Beitrittsurkunde ratifiziert, sodass das Vereinigte Königreich schließlich am 1. Januar 1973 als Vollmitglied in die EWG aufgenommen wurde.

Schon zwei Jahre nach dem Beitritt wurde im Vereinigten Königreich erstmalig am 7. Juni 1975 eine landesweite Volksabstimmung zur Frage über den Verbleib in der EWG durchgeführt, bei der sich – wohl beeinflusst durch sowjetische Aggression, wirtschaftliche Unsicherheit, steigende Preise für Nahrungsmittel und die Ölkrise[10] – 67,2 % der Abstimmenden für einen Verbleib in der EWG aussprachen.[11]

2.1.2 Referendum

Im Jahr 2012 wurde seitens des damaligen Premierministers *David Cameron* erneut über eine Volksbefragung zum Verbleib des Vereinigten Königreichs in der EU nachgedacht.[12] Unter anderem aufgrund des

---

[9] *O. V.*, 1967: De Gaulle says ‚non' to Britain – again, BBC, 27.11.1967: „The present Common Market is incompatible with the economy, as it now stands, of Britain [...]."; abrufbar unter: http://news.bbc.co.uk/onthisday/hi/dates/stories/november/27/newsid_4187000/4187714.stm (zuletzt abgerufen am 09.03.2020).

[10] *Reinehr*, The Road to Brexit, IPA Review 2017, 62 (63).

[11] *Miller*, The 1974–75 UK Renegotiation of EEC Membership and Referendum, 2015, 25.

[12] *Cameron*, We need to be clear about the best way of getting what is best for Britain, The Telegraph, 30.06.2012; abrufbar unter: https://www.telegraph.co.uk/news/politics/david-cameron/9367479/David-Cameron-We-need-to-be-clear-about-the-best-way-of-getting-what-is-best-for-Britain.html (zuletzt abgerufen am 09.03.2020).

steigenden Zuspruchs, den die EU-kritische UK Independence Party (UKIP) bei Wahlergebnissen in den Jahren 2014 und 2015 erzielte,[13] und um einer weiteren Wählerflucht von *Camerons* Konservativer Partei[14] zur UKIP vorzubeugen, brachte die Konservative Partei am 28. Mai 2015 ein Gesetz zur Abhaltung eines Referendums[15] für den EU-Verbleib (sog. *"European Union Referendum Act 2015"*) in das Unterhaus ein, das am 14. Dezember 2015 schließlich vom Oberhaus verabschiedet wurde.[16] Am 20. Februar 2016 gab *Cameron* bekannt, dass das Referendum am 23. Juni 2016 erfolgen solle.

Bei dem Referendum am 23. Juni 2016 votierte die Bevölkerung des Vereinigten Königreichs mit knapper Mehrheit[17] für *"Leave"*, d. h. für einen Austritt des Vereinigten Königreichs aus der EU.[18] Am 13. Juli 2016 trat *Cameron* als Premierminister zurück.

2.1.3 Austrittsverfahren

Am 29. März 2017 hat die neue Premierministerin *Theresa May* – nach entsprechendem Beschluss des britischen Parlaments – dem Europäischen Rat die Absicht des Vereinigten Königreichs zum Aus-

---

[13]*Reinehr*, The Road to Brexit, IPA Review 2017, 62 (63).

[14]Engl. „Conservative Party" oder „Tories".

[15]Das aus britischer Sicht genannte „Referendum" wäre nach deutscher Terminologie richtigerweise als „Volksbefragung" zu bezeichnen, vgl. *Michl*, Die formellen Voraussetzungen für den Austritt des Vereinigten Königreichs aus der Europäischen Union, NVwZ 2016, 1365 (1366).

[16]An Act to make provision for the holding of a referendum in the United Kingdom and Gibraltar on whether the United Kingdom should remain a member of the European Union, 2015, Chapter 36, abrufbar unter: https://www.legislation.gov.uk/ukpga/2015/36/enacted/data.xht?view=snippet&wrap=true (zuletzt abgerufen am 09.03.2020).

[17]Für einen EU-Austritt stimmten 51,9 % der Wähler (bei einer Wahlbeteiligung von 72,2 %), vgl. *The Electoral Commission*, EU referendum results, abrufbar unter: https://www.electoralcommission.org.uk/find-information-by-subject/elections-and-referendums/past-elections-and-referendums/eu-referendum/electorate-and-count-information (zuletzt abgerufen am 09.03.2020).

[18]Auf die Frage „Should the United Kingdom remain a member of the European Union or leave the European Union?" konnten die Abstimmungsberechtigten mit „Remain a member of the European Union" oder mit „Leave the European Union" antworten.

tritt aus der Europäischen Union mitgeteilt.[19] Durch diese Mitteilung hat gem. Art. 50 Abs. 3 EUV eine „Austrittsfrist" zu laufen begonnen, wonach die Verträge der EU spätestens zwei Jahre nach dieser Mitteilung keine Anwendung mehr finden.[20] Folglich hätte alleine durch Zeitablauf am 29. März 2019 der *Brexit* stattgefunden. In Art. 50 Abs. 3 EUV a. E. ist jedoch die Möglichkeit vorgesehen, diese Frist zu verlängern, wenn sich der Europäische Rat und der betroffene Mitgliedstaat zuvor einstimmig auf eine Fristverlängerung geeinigt haben. Von dieser Möglichkeit haben die Parteien am 10. April 2019, also nach Ablauf der Austrittsfrist, Gebrauch gemacht und die Austrittsfirst zunächst bis zum 31. Oktober 2019 verlängert.

Zur Abmilderung der Auswirkungen des *Brexit* können die EU und das Vereinigte Königreich auf der Grundlage der Leitlinien des Europäischen Rates ein Austrittsabkommen aushandeln,[21] in dem die zukünftigen Beziehungen zueinander geregelt werden und z. B. die Zollschranken zugunsten eines freien Handels aufgehoben und die europäischen Grundfreiheiten gewährleistet bleiben.[22] Eine Pflicht zum Abschluss eines solchen Abkommens besteht gleichwohl nicht.[23]

Nachdem sich die EU und das Vereinigte Königreich anfänglich allerdings nicht auf ein Austrittsabkommen einigen konnten und sich auch innenpolitisch im Vereinigten Königreich kein Konsens zwischen den im Unterhaus vertretenen Parteien abzeichnete, hat Premierministerin *May* am 24. Mai 2019 ihren Rücktritt als Parteichefin der Konservativen Partei bekannt gegeben. Sie hatte zuvor in mehreren Verhandlungsrunden mit der EU und im Unterhaus mit allen Parteien auf nationaler Ebene versucht, einen Konsens zu finden, war aber mit einer Abstimmung zu

---

[19] Die Möglichkeit des Austritts eines Mitgliedstaats ist in Art. 50 Abs. 1 EUV vorgesehen und jederzeit möglich. Völkerrechtlich handelt es sich wohl richtigerweise um eine "Beendigung" der bzw. einen "Rücktritt" von den EU-Verträgen, vgl. Art. 54 WÜRV.
[20] Vgl. Art. 50 Abs. 3 Alt. 2 EUV.
[21] Vgl. Art. 50 Abs. 2 Satz 2 EUV.
[22] Zu den Verhandlungspositionen der Parteien und warum ein Mediator helfen würde, s. *Eidenmüller*, Negotiating and Mediating Brexit, Pepp. L. Rev. 2016, 39 ff.
[23] *Calliess*, in: *Calliess/Ruffert*, EUV/AEUV, 5. Aufl. 2016, Art. 50 EUV, Rn. 5; *Streinz*, in: *Streinz*, EUV/AEUV, 3. Aufl. 2018, Art. 50 EUV, Rn. 3.

dem von ihr ausgehandelten Austrittsabkommen drei Mal im Unterhaus gescheitert. Zur Auflösung dieser Situation war zwischenzeitlich auch ein zweites Referendum vorgeschlagen worden, weil man davon ausging, dass sich die britische Bevölkerung in diesem Fall für einen Verbleib in der EU entscheiden würde.[24]

Am 24. Juli 2019 hat *May* die Regierungsgeschäfte an ihren Nachfolger, Premierminister *Boris Johnson* übergeben. *Johnson* galt nicht nur als Initiator des *Brexit*-Referendums und als Befürworter des EU-Austritts des Vereinigten Königreichs. Er beharrte außerdem auf der Beseitigung der sog. „*Backstop*"-Klausel aus dem Austrittsabkommen,[25] die als eine Art Rückfallregelung zum Schutze des EU-Mitglieds Irland gedacht war und von der EU als nicht verhandelbar bezeichnet wurde.[26] Daher wurde *Johnson* zunächst wenig Erfolg bei seinen Bemühungen attestiert, ein neues – und für das Vereinigte Königreich vermeintlich vorteilhafteres – Austrittsabkommen auszuhandeln.

Gleichwohl konnte sich das Vereinigte Königreich schließlich mit der EU am 17. Oktober 2019 auf ein überarbeitetes Austrittsabkommen (sog. „*Brexit*-Abkommen"; Brexit-Abk.) einigen, das im Wesentlichen dem bereits durch *Theresa May* ausgehandelten Abkommen gleicht.[27] Am 22. Oktober 2019 stimmte das Unterhaus dem überarbeiteten

---

[24] *O. V.*, May will Unterhaus über zweites Brexit-Referendum abstimmen lassen, Süddeutsche Zeitung, 21.05.2019, abrufbar unter: https://www.sueddeutsche.de/politik/brexit-may-grossbritannien-referendum-1.4457240 (zuletzt abgerufen am 09.03.2020); *o. V.*, Labour will für EU-Verbleib werben, Spiegel Online, 09.07.2018, abrufbar unter: https://www.spiegel.de/politik/ausland/brexit-jeremy-corbyn-im-fall-eines-zweiten-referendums-fuer-eu-verbleib-a-1276509.html (zuletzt abgerufen am 09.03.2020).

[25] *Plickert/Stabenow*, Was will Boris Johnson?, FAZ, 20.08.2019, abrufbar unter: https://www.faz.net/aktuell/brexit/boris-johnson-schlaegt-uebergangsloesung-statt-backstop-vor-16342572.html (zuletzt abgerufen am 09.03.2020).

[26] Die sog. „*Backstop*"-Regelung im Austrittsabkommen sieht für den Fall, dass sich die EU und das Vereinigte Königreich nach dem Brexit nicht auf ein Handelsabkommen einigen können vor, dass dann das gesamte Vereinigte Königreich (einschließlich Nordirland) in der Zollunion und Nordirland zusätzlich im EU-Binnenmarkt verbleibt. Diese Regelung ist zur Vermeidung einer EU-Außengrenze zwischen dem zum Vereinigten Königreich gehörenden Nordirland und dem in der EU verbleibenden Irland mitten auf der irischen Insel gedacht, die bereits im Nordirlandkonflikt für fast 30 Jahre (1969 bis 1998) für blutige Auseinandersetzungen gesorgt hatte.

[27] Zu den Änderungen der Regelungen des Protokolls zu Irland/Nordirland, vgl. *Terhechte*, Strukturen und Probleme des Brexit-Abkommens, NJW 2020, 425 (427).

Austrittsabkommen zwar zu, verweigerte aber eine beschleunigte Umsetzung auf nationaler Ebene noch vor dem bevorstehenden Austrittsdatum am 31. Oktober 2019, sodass das Vereinigte Königreich um einen dritten Aufschub des Austrittsdatums bei der EU bitten musste. Am 28. Oktober 2019 stimmte der Rat der EU der Verlängerung der Austrittsfrist bis zum 31. Januar 2020 zu.

Um eine Mehrheit für die notwendige erneute Abstimmung über das überarbeitete Austrittsabkommen zu erhalten, gelang es *Johnson* – nachdem er auch die *Labour Party* um *Jeremy Corbyn* überzeugt hatte – Neuwahlen für den 12. Dezember 2019 anzusetzen. Bei der Wahl erreichte *Johnsons* Konservative Partei eine deutliche Mehrheit im Unterhaus. Das Unterhaus stimmte schließlich am 9. Januar 2020 für das EU-Austrittsgesetz,[28] das die Regierung des Vereinigten Königreichs ermächtigt, den Austritt aus der EU umzusetzen und das überarbeitete Austrittsabkommen anzunehmen. Am 22. Januar 2020 stimmte auch das Oberhaus nach mehreren Änderungsrunden zwischen beiden Kammern zu. Nachdem Vertreter der Europäischen Kommission und des Europäischen Rates einerseits sowie Premierminister *Johnson* andererseits das Austrittsabkommen am 24. Januar 2020 unterzeichnet haben, ratifizierte auch das EU-Parlament am 29. Januar 2020 das Austrittsabkommen. Mit dem Inkrafttreten des Austrittsabkommens ist das Vereinigte Königreich mit Ablauf des 31. Januar 2020 aus den europäischen Verträgen ausgetreten und seit dem 1. Februar 2020 nicht mehr Mitglied der EU.

2.1.4 Austrittsabkommen und Übergangszeitraum

Das Austrittsabkommen trifft Regelungen zur Auseinandersetzung der vormals eng verflochtenen Beziehungen zwischen der EU, um einen geordneten *Brexit* zu ermöglichen und eine Störung des grenzüberschreitenden Handels möglichst zu vermeiden.[29]

---

[28]Engl.: European Union (Withdrawal Agreement) Act 2020.
[29]Vgl. Art. 40 ff. des Brexit-Abk.

Mit Blick auf die Zukunft werden die Beziehungen der beiden Protagonisten zueinander in Bezug auf den Personen-, Waren- und Kapitalverkehr allerdings noch nicht voneinander „abgetrennt", sondern nur vorläufig geregelt:[30] Ungeachtet des EU-Austritts bleibt das Unionsrecht im Vereinigten Königreich – mit einigen Ausnahmen[31] – zunächst für einen sog. „Übergangszeitraum"[32] (engl.: *„transition period"*) vom Inkrafttreten des Austrittsabkommens bis zum 31. Dezember 2020 weiterhin anwendbar.[33] Danach dürfen beispielsweise Waren, die innerhalb der EU oder dem Vereinigten Königreich bereits in diesem Zeitraum in den Verkehr gebracht worden sind, auch nach Ablauf des Übergangszeitraumes noch an den Endabnehmer weitergeleitet werden.[34] Während dieses Übergangszeitraums beabsichtigen das Vereinigte Königreich und die EU ein Vertragswerk auszuhandeln und abzuschließen, um den bevorzugten Verkehr mit Waren, Kapital und Dienstleistungen auch weiterhin zu ermöglichen. Nach Ablauf des Übergangszeitraums, der durch gemeinsame Entscheidung der EU und des Vereinigten Königreichs einmalig um ein oder zwei Jahre verlängert werden kann,[35] haben die europäischen Verträge keine Geltung mehr in Bezug auf das Vereinigte Königreich, auch wenn bis dahin noch kein entsprechendes Vertragswerk ausgehandelt worden sein sollte. Die während des Übergangszeitraums noch künstlich aufrecht erhaltene Zollunion und der EU-Binnenmarkt fallen danach endgültig weg.

Die sich aus Art. 21 AEUV ergebende Personenfreizügigkeit für EU-Bürger zwischen und innerhalb der EU und dem Vereinigten Königreich bleibt während des Übergangszeitraums ebenfalls erhalten.[36] Dies betrifft insbesondere auch die Arbeitnehmerfreizügigkeit (Art. 45

---

[30] *Kemmner*, Brexit – Aktueller Stand und Auswirkungen des Austrittsabkommens, MPR 2020, 18 (18).

[31] Vgl. Art. 127 Abs. 1 Buchst. (a) und (b) des Brexit-Abk.; zu den Ausnahmen s. *Terhechte*, Strukturen und Probleme des Brexit-Abkommens, NJW 2020, 425 (426).

[32] Vgl. Art. 126 des Brexit-Abk.

[33] Vgl. Art. 127 Abs. 1 des Brexit-Abk.

[34] Vgl. Art. 41 Abs. 1 des Brexit-Abk.

[35] Vgl. Art. 132 Abs. 1 des Brexit-Abk.

[36] Vgl. Art. 13 Abs. 1 des Brexit-Abk.

EUV) und die Niederlassungsfreiheit (Art. 49 AEUV), sodass zumindest während des Übergangszeitraums die Möglichkeit zur Erbringung grenzüberschreitender Dienstleistungen gewahrt bleibt.

Die umstrittene sog. „*Backstop*"-Klausel, die eine Grenze zwischen dem EU-Mitgliedsstaat Irland und dem zum Vereinigten Königreich gehörenden Nordirland verhindern sollte, wurde geändert und enthält nunmehr in einem Zusatzprotokoll diffizile Regelungen zum Umgang mit dem Personen- und Warenverkehr zwischen beiden Staaten auf der irischen Insel. Danach unterfällt Nordirland zwar den Zoll- und Steuervorschriften des Vereinigten Königreichs, aber die EU-Regelungen für den Warenverkehr auf der irischen Insel bleiben weitestgehend in Kraft.[37] Außerdem dürfen das Vereinigte Königreich und Irland keine Absprachen treffen, die die Personenfreizügigkeit, wie sie im EU-Recht für EU-Bürger gewährleistet wird, einschränken könnte.[38] Faktisch wird es also eine „Grenze" für die Kontrolle des ein- und ausgehenden Personen- und Warenverkehrs zwischen der britischen und der irischen Insel geben (müssen).

> **Ihr Transfer in die Praxis**
> - Der *Brexit,* d. h. der Austritt des Vereinigten Königreichs aus der EU, ist zwar mit Wirkung zum 1. Februar 2020 vollzogen worden. Durch die gleichzeitige Vereinbarung eines Übergangszeitraums im Rahmen des abgeschlossenen Austrittsabkommens findet der *Brexit* faktisch allerdings erst mit Ablauf des Übergangszeitraums statt.
> - Dementsprechend ist der *Brexit* nur verschoben worden. Für die Zeit des Übergangszeitraums sind wesentliche Veränderungen der wirtschaftlichen Beziehungen zwischen dem Vereinigten Königreich und der EU nicht zu erwarten.
> - Wie „hart" oder „weich" der eigentliche *Brexit* nach Ablauf des Übergangszeitraums ausfällt, hängt davon ab, ob und mit welchem Inhalt sich die EU und das Vereinigte Königreich auf ein gemeinsames Vertragswerk einigen können.

---

[37] Vgl. Art. 182 des Brexit-Abk. und das als Anlage beigefügte Protokoll zu Irland/Nordirland.
[38] Vgl. Art. 3 des Protokolls zu Irland/Nordirland.

2.2 Wirtschaftliche Auswirkungen auf vertragliche Beziehungen

Abgesehen von geopolitischen Auswirkungen auf die interne Sicherheit der EU-Mitgliedstaaten und einer Verschiebung des Gleichgewichts innerhalb der EU in Richtung Zentraleuropa[39] wird der Ablauf des Übergangszeitraums ganz erhebliche Auswirkungen auf die grenzüberschreitenden wirtschaftlichen Beziehungen zwischen dem Vereinigten Königreich und der EU im Allgemeinen bzw. Deutschland im Besonderen haben.[40] Den Kern dieser zusammenfassend als „wirtschaftliche Beziehungen" bezeichneten Verbindungen bilden die vertraglichen Beziehungen zwischen deutschen und britischen Unternehmen auf beiden Seiten des Ärmelkanals.

2.2.1 Mögliche Szenarien nach Ablauf des Übergangszeitraums

Für die Zeit nach dem Ende des Übergangszeitraums werden im Wesentlichen zwei Szenarien in Betracht gezogen:[41] Der sog. „harte *Brexit*"[42] und der sog. „weiche *Brexit*".[43] Diese Szenarien entsprechen denjenigen, die schon für den eigentlichen *Brexit* am 31. Januar 2020 erwartet worden sind. Durch den Austrittsvertrag haben sich die Auswirkungen des *Brexit* zeitlich nur verschoben, bleiben aber im Übrigen gleich. Der „weiche *Brexit*" kann in Abhängigkeit von der Ausgestaltung

---

[39]Nach Art. 127 Abs. 2 und 7 Buchst. (a) und Art. 129 Abs. 2 des Brexit-Abk. wird das Vereinigte Königreich nicht mehr an der sog. „Verstärkten Zusammenarbeit" gem. Art. 20 EUV, insbesondere in Bezug auf die „Gemeinsame Außen- und Sicherheitspolitik", teilnehmen.
[40]*Martony*, Brexit. Brexit?, ELTE L. J. 2016, 19 (35).
[41]Für zeitlich befristete Übergangslösungen: *Martony*, Brexit. Brexit?, ELTE L. J. 2016, 19 (32 f.).
[42]Auch als „ungeregelter *Brexit*", „no-deal scenario" oder „WTO-Drittlandszenario" bezeichnet (dazu sogleich).
[43]Auch als „geregelter *Brexit*" bezeichnet.

eines vor dem Ende des Übergangszeitraums möglicherweise ausgehandelten Vertragswerks „weicher" bzw. „härter" ausfallen.[44]

2.2.1.1 Harter Brexit

Unter einem sog. „harten *Brexit*" wird das Ausscheiden des Vereinigten Königreichs aus den europäischen Verträgen, namentlich dem Vertrag über die Europäische Union (EUV)[45] und dem Vertrag über die Arbeitsweise der Europäischen Union (AEUV),[46] verstanden, ohne dass unmittelbar im Anschluss ein Nachfolgeabkommen, wie z. B. das nunmehr geplante Vertragswerk, in Kraft tritt. In der Folge werden also weder das Primärrecht[47] noch das Sekundärrecht[48] der EU im Verhältnis zum Vereinigten Königreich anwendbar sein. Die Zollunion wird aufgehoben. Die vier Grundfreiheiten des europäischen Binnenmarktes, namentlich der Verkehr mit Waren, Dienstleistungen und Kapital sowie die Personenfreizügigkeit, werden vollständig entfallen. Da es zwischen Deutschland bzw. der EU einerseits und dem Vereinigten Königreich andererseits auch keine anderweitigen bi- oder multilateralen Handelsabkommen gibt, werden ihre wirtschaftlichen Beziehungen allein den im Rahmen des Rechtssystems der Welthandelsorganisation (*World Trade Organization;* WTO) bestehenden multilateralen völkerrechtlichen Verträgen, namentlich u. a. dem Allgemeinen Zoll- und Handelsabkommen (*General Agreement on Tariffs and Trade;* GATT)[49] sowie dem Allgemeinen Abkommen über den Handel mit Dienstleistungen (*General Agreement in Trade in Services;* GATS),[50] unter-

---

[44]S. u. 2.2.1.2; für eine Darstellung der verschiedenen Modelle eines „weichen *Brexit*" s. *Paulus*, Der „Brexit" als Störung der „politischen" Geschäftsgrundlage?, in: *Kramme et al.*, Brexit und die juristischen Folgen, 2017, 101 (104 f.).
[45]Abgedruckt in: BGBl. II (1992), 1251.
[46]Abgedruckt in: BGBl. II (2009), 1223.
[47]Einschließlich des ungeschriebenen Primärrechts, wie z. B. Entscheidungen der Gerichte der EU.
[48]Z. B. Verordnungen und Richtlinien, vgl. Art. 288 AEUV.
[49]Abgedruckt in: BGBl. II (1994), 1437 (1442 ff.).
[50]Abgedruckt in: BGBl. II (1994), 1437 (1473 ff.).

liegen.[51] Zwar hat auch das GATT – ähnlich wie die europäischen Verträge – die wirtschaftliche Verbindung ihrer Vertragsparteien durch den Abbau von Handelshemmnissen zum Ziel.[52] Allerdings ist der Abbau von Zöllen und anderen Handelshemmnissen innerhalb der EU ungleich intensiver betrieben worden als im Rahmen des GATT: Während das GATT durch Verpflichtungen zur Meistbegünstigung[53] und zur Inländergleichbehandlung[54] vornehmlich auf eine Gleichbehandlung der Vertragsparteien und einen Abbau der Diskriminierung abzielt,[55] ohne aber Zölle zu verbieten, werden im EU-Binnenmarkt grundsätzlich keine Zölle erhoben. Im Falle eines „harten *Brexit*" wird die EU demnach im Verhältnis zum Vereinigten Königreich Zölle auf gleichartige Erzeugnisse[56] erheben müssen, um nach den Regeln der WTO eine Gleichbehandlung mit anderen Staaten zu gewährleisten,[57] die ebenfalls nicht Partei eines mit der EU abgeschlossenen Handelsabkommens sind.[58] Dadurch wird auch der Warenverkehr zwischen dem Vereinigten Königreich und Deutschland von Zöllen und ggf. weiteren nicht-tarifären Handelshemmnissen (z. B. Einfuhrquoten oder

---

[51]*Martony*, Brexit. Brexit?, ELTE L. J. 2016, 19 (32); str. ist allerdings, ob dem Vereinigten Königreich die allein von der EU mit WTO-Mitgliedstaaten ausgehandelten Vereinbarungen zugutekommen oder ob das Vereinigte Königreich diese Vereinbarungen nach einem EU-Austritt eigens aushandeln und – verbunden mit der Gefahr eines Vetos der anderen WTO-Mitgliedsstaaten – abschließen muss, vgl. *Bartels*, Understanding the UK's position in the WTO after Brexit, Part 1, 2016, und *Herrmann*, Brexit, WTO und EU-Handelspolitik, EuZW 2017, 961 (962 ff.).
[52]Ziel des GATT ist die Liberalisierung und Förderung des Welthandels durch den gegenseitigen Abbau von Zöllen und anderer Handelsschranken, vgl. Präambel des GATT; siehe auch *Scheller*, Brexit und die Folgen für das Zollrecht und die indirekten Steuern, DStR 2016, 2196 (2197).
[53]Sog. *„Most-Favoured-Nation Treatment"*, vgl. Art. I GATT.
[54]Sog. *„National Treatment"*, vgl. Art. III GATT.
[55]Vgl. Präambel des GATT.
[56]Zur Behandlung von gleichartigen Erzeugnissen (sog. *„like products"*) im GATT vgl. *Choi*, ‚Like Products' in International Trade Law: Towards a Consistent GATT/WTO Jurisprudence, 2003.
[57]Vgl. Art. I Abs. 1 GATT.
[58]Ausnahmen vom Meistbegünstigungsgrundsatz bestehen z. B. für eine Zollunion oder für Freihandelszonen, vgl. Art. XXIV GATT.

Konzessionserfordernissen) belastet werden. Die britische Regierung rechnet für den Fall des „harten *Brexit*" mit chaotischen Zuständen.[59]

2.2.1.2 Weicher Brexit

In den Fällen des sog. „weichen *Brexit*" wird das Vereinigte Königreich ebenfalls aus den europäischen Verträgen ausscheiden. Zur Abmilderung der Folgen des *Brexit* hätten das Vereinigte Königreich und die EU bereits im Rahmen des gemäß Art. 50 Abs. 2 S. 2 EUV auszuhandelnden Austrittsabkommens einen Folge- bzw. Übergangsvertrag schließen können. Je nach Ausgestaltung dieses Vertrages hätte das Vereinigte Königreich dann entweder Teil des EU-Binnenmarktes bleiben können, wenn es sich z. B. zu einer eigenen Mitgliedschaft im Europäischen Wirtschaftsraum (EWR) entschlossen hätte (sog. „Norwegisches Modell"),[60] oder die Beziehungen zur EU auf bilaterale Abkommen stützen können (sog. „Schweizer Modell"). Denkbar war außerdem die Errichtung einer Freihandelszone zwischen der EU und dem Vereinigten Königreich (sog. „Kanadisches Modell") unmittelbar nach dem *Brexit*. In allen Fällen wäre eine Zustimmung der EU erforderlich gewesen.

Die vorgenannten Optionen sind durch den vollzogenen *Brexit* nicht gänzlich ausgeschlossen, aber zumindest verschoben worden, denn die EU und das Vereinigte Königreich haben im Austrittsabkommen nicht von diesen Gestaltungsmöglichkeiten Gebrauch gemacht, sondern sich darauf geeinigt, dass auch nach dem eigentlichen *Brexit* u. a. die EU-Grundfreiheiten bis zum Ablauf des Übergangszeitraums fortgelten sollen.[61] Der *Brexit* am 31. Januar 2020 hatte folglich keine unmittelbaren Auswirkungen auf die grenzüberschreitenden Beziehungen zwischen dem Ver-

---

[59] *O. V.*, London befürchtet Lebensmittel- und Benzin-Engpässe, FAZ, 18.08.2019, abrufbar unter: https://www.faz.net/aktuell/politik/ausland/harter-brexit-london-befuerchtet-lebensmittel-und-benzin-engpaesse-16338896.html (zuletzt abgerufen am 09.03.2020).
[60] Bislang ist das Vereinigte Königreich nur indirekt, d. h. als Mitgliedsstaat der EU, Teil des EWR.
[61] S. o. 2.1.4.

einigten Königreich und der EU. Im Austrittsabkommen haben sich beide dazu verpflichtet, nach besten Kräften und unter Einhaltung des Grundsatzes von Treu und Glauben alle notwendigen Schritte einzuleiten, um zügig – spätestens und soweit möglich jedoch zum Ende des Übergangszeitraums – ein Vertragswerk zur Regelung ihrer zukünftigen Beziehungen zueinander in Kraft treten zu lassen.[62] Verpflichtend ist der Abschluss eines Vertragswerks allerdings nicht – weder vor dem Ende des Übergangszeitraums, noch danach.

2.2.1.3 Aktueller Stand

Die EU und das Vereinigte Königreich haben sich für die Verhandlung eines Vertragswerks in der Form eines Freihandelsabkommens nach kanadischem Vorbild ausgesprochen. Die Verhandlungen haben im März 2020 begonnen und sollen nach den ehrgeizigen Plänen beider Protagonisten bis zum Ende des Übergangszeitraums am 31. Dezember 2020 abgeschlossen sein. Eine Verlängerung des Übergangszeitraums ist zwar bei einer Einigung bis zum 31. Juni 2020 noch um ein oder zwei Jahre möglich. Premierminister *Johnson* hat eine Verlängerung allerdings mehrfach ausgeschlossen, und schließlich untersagt auch das von Unter- und Oberhaus beschlossene EU-Austrittsgesetz der Regierung des Vereinigten Königreichs, einer solchen Verlängerung zuzustimmen.[63] Folglich stellt die Protagonisten allein der Zeitrahmen, in dem ein neues Freihandelsabkommen abgeschlossen werden muss, vor Probleme. Zum Vergleich: Die Verhandlung des Freihandelsabkommens zwischen der EU und Kanada nahm mehr als sieben Jahre in Anspruch.[64]

Die zeitliche Komponente wird zudem dadurch verschärft, dass die zu verhandelnden Inhalte von den Verhandlungspartnern im Vorfeld äußerst kontrovers diskutiert und zum Teil als „unverhandelbar" dargestellt

---

[62]Vgl. Art. 184 des Brexit-Abk.
[63]Ziffer 33 des European Union (Withdrawal Agreement) Act 2020.
[64]Die Verhandlungen zum *Comprehensive Economic and Trade Agreement* (CETA) begannen Mitte 2009 und endeten mit der Unterzeichnung des Abkommens am 30. Oktober 2016.

wurden.[65] Nach dem Willen der EU soll das Freihandelsabkommen beispielsweise den grenzüberschreitenden Verkehr mit Waren und Dienstleistungen umfassen, womit auch die Personenfreizügigkeit gewährleistet werden müsste. *Johnson* will dagegen eine Beschränkung auf den Warenverkehr erreichen und hat dem englischen Volk bereits eine Einwanderungskontrolle garantiert, die eine grenzüberschreitende Erbringung von Dienstleistungen faktisch unmöglich machen würde.[66] Die EU hat sowohl in den Verhandlungen zum EWR als auch in den Verhandlungen mit der Schweiz stets betont, dass ein Zugang zum EU-Binnenmarkt nur umfassend und für beide Seiten ausgestaltet sein kann, nicht aber nur einzelne Grundfreiheiten betreffen darf. Letztlich könnte die EU eine Abweichung von diesem Grundsatz gegenüber ihren bisherigen Handelspartnern, wie z. B. der Schweiz und Norwegen, kaum rechtfertigen.

Zudem beharrt die EU darauf, dass sich das Vereinigte Königreich mit einer Öffnung des Binnenmarktes auch zur Einhaltung bestimmter EU-Standards, z. B. Regelungen zum Handel, zur Umwelt und zum Steuerrecht, verpflichten muss, um einen fairen Wettbewerb zwischen der EU und dem Vereinigten Königreich zu gewährleisten. Das Vereinigte Königreich ist jedoch gerade wegen der als unangenehm und bevormundend empfundenen Regelungen der EU aus eben jener ausgetreten. Außerdem hat Premierminister *Johnson* auch hier seinem Volk versprochen, die Kontrolle über die nationalen Gesetze und Handelspolitik zurückzuerlangen.[67]

Schließlich verlangt die EU, dass das Vereinigte Königreich seine zur Fischerei genutzten Gewässer für die EU öffnet, um dort einen gemeinsamen Fischfang zu ermöglichen. Auch diesem Ansinnen hat

---

[65] O. V., Die EU fordert, Johnson schmettert ab, 03.02.2020, abrufbar unter: https://www.tagesschau.de/ausland/brexit-johnson-eu-rede-103.html (zuletzt abgerufen am 09.03.2020).

[66] Get Brexit Done – Unleash Britain's Potential, The Conservative and Unionist Party Manifesto, 2019, 5; abrufbar unter: https://assets-global.website-files.com/5da42e2cae7ebd3f8bde353c/5dda924905da587992a064ba_Conservative%202019%20Manifesto.pdf (zuletzt abgerufen am 09.03.2020).

[67] A. a. O.

sich Premierminister *Johnson* bereits ausdrücklich und im Wege eines Wahlversprechens an sein Volk verweigert.[68]

Selbst wenn man das Vorgenannte um einen gewissen Umfang an verhandlungstaktischen Manövern erleichtert, dürften allein diese streitigen Inhalte schon zu erheblichen Schwierigkeiten bei der Konsensfindung für ein Freihandelsabkommen führen. Vor diesem Hintergrund dürfte es äußerst unwahrscheinlich sein, dass es dem Vereinigten Königreich gelingt, mit der EU bis zum 31. Dezember 2020 ein eigenes Freihandelsabkommen auszuhandeln, zumal vor der Ratifizierung möglicherweise auch die EU-Mitgliedstaaten zu beteiligen sind.[69] Auch für den Fall, dass es gelingen sollte, ein Freihandelsabkommen abzuschließen und einen „harten *Brexit*" doch noch zu verhindern, werden die Handelsbeziehungen zwischen der EU und dem Vereinigten Königreich nicht an den üblichen Geschäftsbetrieb vor dem *Brexit* anknüpfen können. Beide Seiten werden sich vielmehr auf erhebliche Beschränkungen des Handels einstellen müssen, deren konkrete rechtliche Grundlagen derzeit noch völlig unklar sind.[70] Die Metapher „weicher *Brexit*" wird sich aller Voraussicht nach mit dem Ende des Übergangszeitraums als Euphemismus entpuppen.

2.2.2 Auswirkungen auf grenzüberschreitende vertragliche Beziehungen

Sowohl infolge eines „harten *Brexit*" als auch infolge des teilweise diskutierten und wünschenswerten „weichen *Brexit*" werden die Grundfreiheiten des europäischen Binnenmarktes entweder vollständig entfallen oder erheblich eingeschränkt.[71] Folglich wird sich z. B. der Waren- und Kapitalverkehr zwischen Deutschland und dem Vereinigten

---

[68] A. a. O.
[69] *Terhechte*, Strukturen und Probleme des Brexit-Abkommens, NJW 2020, 425 (430).
[70] A. a. O., 425.
[71] Zu möglichen Gestaltungsoptionen eines Austrittsabkommens s. *Maican*, Legal aspects of Brexit, Juridicial Tribune 2016, 252 (255).

Königreich durch Zölle und Kontrollen verteuern bzw. verlangsamen;[72] grenzüberschreitend zu erbringende Dienstleistungen können nach einem Wegfall der Personenfreizügigkeit unter Umständen gar nicht mehr oder nur nach Durchlaufen von Visaprozessen erbracht werden. Ausgehend von der Hypothese eines „harten *Brexit*" wird nahezu jede denkbare Form von grenzüberschreitenden Verträgen betroffen sein: Kauf- und Lieferverträge,[73] Dienstleistungsverträge, Darlehens- und andere Finanzierungsverträge. Verträge zwischen deutschen Unternehmen einerseits und Unternehmen oder Privatpersonen im Vereinigten Königreich andererseits werden entweder gar nicht mehr durchführbar sein, oder nur unter Inkaufnahme erheblicher Verteuerungen und Verzögerungen der entsprechenden Leistungen ausgeführt werden können.

2.2.2.1 Finanzierungsverträge

Darlehensverträge deutscher Unternehmen mit Banken im Vereinigten Königreich werden möglicherweise nicht mehr durchführbar sein, weil britische Banken in der EU nach einem *Brexit* keine Bankerlaubnis mehr besitzen. Dadurch kann eine sofortige Fälligkeit des Darlehens ausgelöst und das Unternehmen in die Insolvenz getrieben werden. Zudem enthalten insbesondere die Darlehensverträge nach den Standards der *Loan Market Association* (LMA) Verweise auf das Gebiet bzw. die Gesetzgebung der EU; eine Durchführung ist insoweit schon seit dem *Brexit* ausgeschlossen – möglicherweise zum Nachteil des Darlehensnehmers.

---

[72]Zu Auswirkungen auf Kauf- und Lieferverträge vgl. *Grupp*, Vertragsgestaltung in Zeiten von Brexit, NJW 2017, 2065 (2067).
[73]Zu den nach einem *Brexit* erforderlichen Erlaubnissen für grenzüberschreitende Transporte vgl. *Hookham*, How a no-deal Brexit would affect road transport law, Commercial Motor 2018, 25 (25), und – insbesondere für Abgasnormen – *Hobson*, Destination unknown, MotorTransport 2016, 16 ff.

2.2.2.2 Geistiges Eigentum

Der Verweis auf das Territorium der EU hat gleichermaßen Auswirkungen auf Lizenzverträge, die wegen ihres räumlichen Anwendungsbereichs regelmäßig auf „das Gebiet der Europäischen Union" abstellen.[74] Dem *Brexit* hätte hier mit einer dynamischen Verweisungsklausel begegnet werden können.[75] Nach europäischem Recht eingetragene Marken und Patente verlieren zudem nach dem Ende des Übergangszeitraums und der künstlich erhaltenen Fortgeltung der europäischen Verträge ihren Schutz im Vereinigten Königreich. Soweit nach britischem Recht möglich, müsste dort ein entsprechender Schutz der Rechte geistigen Eigentums neu beantragt werden.

2.2.2.3 Gesellschaftsrecht

Nachdem kaum ein Rechtsgebiet nicht durch das europäische Primär- und Sekundärrecht geprägt ist,[76] wird der *Brexit* bzw. das Ende des Übergangszeitraums beispielsweise auch Auswirkungen auf das Gesellschaftsrecht haben:[77] Der Wegfall der Niederlassungsfreiheit[78] führt für die zahlreichen nach britischem Recht gegründeten Gesellschaften, die ihren Verwaltungssitz in Deutschland haben, zu einer Änderung des Gesellschaftsstatuts. Denn die Bestimmung des auf sie anwendbaren Gesellschaftsrechts richtet sich dann statt der Gründungstheorie (wieder) nach der Sitztheorie.[79] Folglich würde eine britische *Limited Company* (Ltd.) oder *Limited Liability Partnership* (LLP) mit Ver-

---

[74] *Hall*, Licensed to Brexit, The Licensing Journal 2017, 20 (20).
[75] Z. B.: „[…] *the territory of the European Union, as amended from time to time.*", vgl. *Hall*, Licensed to Brexit, The Licensing Journal 2017, 20 (20).
[76] *Mayer/Manz*, Der Brexit und seine Folgen auf den Rechtsverkehr zwischen der EU und dem Vereinigten Königreich, BB 2016, 1731 (1731).
[77] *Weller et al.*, Englische Gesellschaften und Unternehmensinsolvenzen in der Post-Brexit-EU, NJW 2016, 2378.
[78] Vgl. Art. 49 bis 54 AEUV.
[79] *Mayer/Manz*, Der Brexit und seine Folgen auf den Rechtsverkehr zwischen der EU und dem Vereinigten Königreich, BB 2016, 1731 (1732).

waltungssitz in Deutschland wegen des *numerus clausus* der Gesellschaftsformen in eine oHG oder eine GbR umqualifiziert.[80] In beiden Fällen entfällt dann die Haftungsbeschränkung der Gesellschafter.[81] Die Gesellschafter haften sodann persönlich mit ihrem gesamten Vermögen für die Verbindlichkeiten der Gesellschaft.[82] Für große Unternehmen mit dieser Rechtsform oder mit Gruppen- bzw. Portfoliogesellschaften mit risikoreichen Geschäftsmodellen wäre dies ein nicht tragbares Risiko. Es sind daher Rechtsformwechsel bzw. andere Möglichkeiten der (identitätswahrenden) Vermögensübertragung geboten, die die Auswirkungen des *Brexit* antizipieren.[83]

2.2.2.4 Steuerrecht

Schließlich werden die Auswirkungen des *Brexit* zu einem Wegfall des in weiten Teilen harmonisierten europäischen Steuerrechts führen. Dies bedeutet beispielsweise nunmehr entstehende Nachweispflichten zur Ausfuhr und zum Empfang beim grenzüberschreitenden Warenverkehr, Registrierungspflichten sowie die Entstehung eines Einbringungsgewinns bei der vormals steuerneutralen Einbringung einer britischen in eine deutsche Gesellschaft.[84] Umsatzsteuerregelungen in Lieferverträgen müssen wegen des Wegfalls der EU-Mehrwertsteuersystemrichtlinie ebenfalls angepasst werden.[85]

---

[80] *Stiegler*, Der EU-Austritt Großbritanniens aus gesellschaftsrechtlicher Sicht, in: *Kramme et al.*, Brexit und die juristischen Folgen, 2017, 129 (131).

[81] *Weller et al.*, Englische Gesellschaften und Unternehmensinsolvenzen in der Post-Brexit-EU, NJW 2016, 2378 (2381).

[82] *Zwirlein et al.*, Exit before Brexit – Handlungsoptionen für Gesellschaften englischen Rechts in Deutschland unter besonderer Berücksichtigung der LLP, NZG 2017, 1041 (1042).

[83] A. a. O., 1041 (1043): In Betracht kommen neben einem Formwechsel z. B. eine Verschmelzung sowie Anwachsungsmodelle.

[84] *Bode et al.*, Brexit – Tax it?, BB 2016, 1367 (1370).

[85] *Frase*, Brexit – Konsequenzen für das EU-Steuerrecht und Praxisaufgaben für die steuerrechtliche Vertragsgestaltung, BB 2016, 1750 (1752).

Ihr Transfer in die Praxis

- Ein – verschobener – „harter *Brexit*" erscheint derzeit als das wahrscheinlichste Szenario nach dem Ablauf des Übergangszeitraums. Ein abschließendes Verhandeln, Ratifizieren und Inkrafttreten eines Freihandelsabkommens bis zum 31. Dezember 2020 ist wegen des knappen Zeitrahmens und der streitigen Inhalte nicht zu erwarten.
- Auch wenn infolge eines Freihandelsabkommens ein sog. „weicher *Brexit*" möglich werden sollte, wird sich die Durchführung von Verträgen mit Unternehmen im Vereinigten Königreich erheblich verlangsamen.
- Sofern die vorgenannten Entwicklungen und Umstände von der Leitung[86] der davon betroffenen Unternehmen nicht hinreichend und frühzeitig berücksichtigt werden, wird der auf das Ende des Übergangszeitraums verschobene *Brexit* in der Folge unmittelbare (negative)[87] Auswirkungen auf den Unternehmenserfolg haben.[88]

2.3 Rechtliche Einordnung des Brexit

Um die Sorgfaltspflichten des Vorstandes einer Aktiengesellschaft bestimmen zu können,[89] bedarf es zunächst der rechtlichen Einordnung des *Brexit* nach deutschem Recht sowie der Subsumtion unter gebräuchliche Rechtsfiguren des internationalen Vertragsrechts. Die Art und der Umfang der Auswirkungen des *Brexit* auf z. B. grenzüberschreitende Lieferverträge zwischen Unternehmen in Deutschland und im Vereinigten Königreich hängt im Wesentlichen von der jeweiligen Vertragsgestaltung ab. Auf diese Vertragsgestaltung kann und muss der Vorstand im Rahmen seiner Geschäftsführung Einfluss nehmen, sodass ein Unterlassen dieser Einflussnahme unter Umständen eine Sorgfaltspflichtverletzung darstellt. Daher stellt die rechtliche Einordnung des

---

[86] Z. B. der Geschäftsführer bei der GmbH (vgl. §§ 35, 37 GmbHG) oder der Vorstand bei der Aktiengesellschaft (vgl. § 76 Abs. 1 AktG).
[87] Einen ausnahmsweise positiven Ausblick auf den *Brexit* im Hinblick auf Aktien wagt *Baha*, Keep Calm And Carry On, Forbes 2016, 70.
[88] *Hönsch et al.*, Trendwatch Going Brexit – IDW Positionspapier zu den Folgen des Brexit-Referendums für Unternehmen und Wirtschaftsprüfer, 2016, 4.
[89] S. u. 3.

Brexit eine notwendig zu beantwortende Vorfrage für die Bestimmung der durch den Vorstand anzuwendenden Sorgfalt dar.

Für die rechtliche Einordnung des *Brexit* im Hinblick auf dessen Auswirkungen auf Vertragsbeziehungen zwischen Unternehmen in Deutschland und dem Vereinigten Königreich sind mehrere Anknüpfungspunkte denkbar. Ziel ist in der Regel entweder eine Vertragsanpassung oder eine Vertragsaufhebung, die jeweils mit einer Veränderung der Vertragsumstände bzw. -grundlagen durch den *Brexit* begründet werden könnte.[90] Im bisher geführten wissenschaftlichen Diskurs scheint eine gewisse Zurückhaltung bei der rechtlichen Bewertung des *Brexit* dahin gehend zu bestehen, dass keiner der möglicherweise nach deutschem Recht in Betracht kommenden Rechtsgrundsätze überhaupt eine Auswirkung auf grenzüberschreitende Verträge haben soll.[91] Rechtsprechung ist dazu verständlicherweise bislang noch nicht ersichtlich.

2.3.1 Rechtsgrundsätze nach deutschem Recht

Auf Verträge, die deutschem Recht unterliegen, finden neben den vertraglichen Regelungen grundsätzlich auch die nachfolgend dargestellten gesetzlichen Regelungen und Grundsätze des deutschen Rechts Anwendung.

2.3.1.1 Störung der Geschäftsgrundlage

Am häufigsten wird in der Literatur die „Störung bzw. Wegfall der Geschäftsgrundlage" gemäß § 313 BGB zum Anlass für Vertragsanpassungen infolge des *Brexit* bemüht.[92] § 313 Abs. 1 BGB sieht vor,

---

[90] *Rüscher*, Vertragsanpassungen als Reaktion auf den Brexit nach deutschem, englischem, französischem, italienischem und spanischem Recht sowie nach UN-Kaufrecht, EuZW 2018, 937 (939).
[91] Für die Störung der Geschäftsgrundlage nach § 313 BGB, vgl. *Paulus*, Der „Brexit" als Störung der „politischen" Geschäftsgrundlage?, in: *Kramme et al.*, Brexit und die juristischen Folgen, 2017, 101 (125).
[92] *Emde*, Brexit und Vertrieb, ZVertriebsR 2018, 77 (78); *Paulus*, Der „Brexit" als Störung der „politischen" Geschäftsgrundlage?, in: *Kramme et al.*, Brexit und die juristischen Folgen, 2017, 101 (109 ff.); *Rüscher*, Vertragsanpassungen als Reaktion auf den Brexit nach deutschem, englischem, französischem, italienischem und spanischem Recht sowie nach UN-Kaufrecht, EuZW 2018, 937 (941).

dass eine „Anpassung des Vertrags verlangt werden" kann, wenn 1) „sich Umstände, die zur Grundlage des Vertrags geworden sind, nach Vertragsschluss schwerwiegend verändert [haben] und [...] die Parteien den Vertrag nicht oder mit anderem Inhalt geschlossen [hätten], wenn sie diese Veränderung vorausgesehen hätten" und 2) „soweit einem Teil unter Berücksichtigung aller Umstände des Einzelfalls, insbesondere der vertraglichen oder gesetzlichen Risikoverteilung, das Festhalten am unveränderten Vertrag nicht zugemutet werden kann". Ist eine Anpassung des Vertrages nicht möglich oder einer der Parteien nicht zumutbar, so kann die benachteiligte Partei vom Vertrag zurücktreten.[93]

Dieses Rechtsinstitut, dessen dogmatischer Ansatz bis in das sog. „Gemeine Recht" zurückreicht[94] und letztlich ein Ausdruck des Grundsatzes von Treu und Glauben aus § 242 BGB ist,[95] ist erst 2002 im Gesetz normiert worden.[96] Es soll der Vertragsgerechtigkeit dienen und den Parteien bei Vorliegen bestimmter Umstände die Möglichkeit geben, den Vertrag an diese neuen, veränderten Umstände anzupassen.[97] Gewährt man diese Anpassungsmöglichkeit oder gar einen Rücktritt, so schränkt man damit gleichzeitig den Grundsatz der Vertragstreue *(pacta sunt servanda)* ein.[98] Das Bedürfnis nach Rechtssicherheit und die vom Grundgesetz garantierte zivilrechtliche Privatautonomie[99] müssen daher behutsam miteinander abgewogen

---

[93]Vgl. § 313 Abs. 3 S. 1 BGB.
[94]Dort als sog. *„clausula rebus sic stantibus"* (dt.: „Vereinbarung, dass die Umstände [des Vertrages] gleichbleiben") bekannt, vgl. *Finkenauer,* in: *Säcker et al.,* MüKo BGB, 8. Aufl. 2019, § 313, Rn. 20.
[95]*Stadler,* in: *Stürner,* Jauernig BGB, 17. Aufl. 2018, § 313, Rn. 1.
[96]Die Aufnahme in das BGB erfolgte im Rahmen der Reform des Schuldrechts im Jahre 2002, s. *Grüneberg,* in: *Palandt,* Bürgerliches Gesetzbuch, 78. Aufl. 2019, § 313, Rn. 1.
[97]*Finkenauer,* in: *Säcker et al.,* MüKo BGB, 8. Aufl. 2019, § 313, Rn. 2.
[98]*Schulze,* in: *Schulze,* Bürgerliches Gesetzbuch, 10. Aufl. 2019, § 313, Rn. 1; *Stadler,* in: *Stürner,* Jauernig BGB, 17. Aufl. 2018, § 313, Rn. 2.
[99]Die Privatautonomie und mit ihr die Vertragsfreiheit sind von Art. 2 Abs. 1 GG garantiert, vgl. *Di Fabio,* in: *Maunz/Dürig,* GG, 86. EL, 2019, Art. 2 Abs. 1, Rn. 101, m.w.N.

werden.[100] § 313 BGB ist aufgrund seines Ausnahmecharakters mithin mit Vorsicht anzuwenden.[101]

Bislang ist überwiegend darauf abgestellt worden, dass durch den *Brexit* bereits das Tatbestandsmerkmal der Unzumutbarkeit nicht erfüllt werde und daher für § 313 BGB kein Raum sei.[102] Nach ständiger Rechtsprechung des BGH müsste das „Festhalten an der vereinbarten Regelung für die betroffene Partei zu einem nicht mehr tragbaren Ergebnis führen".[103] Die Auslegung dieses Tatbestandsmerkmals dient der Rechtsprechung zur Einzelfallgerechtigkeit und kann bestenfalls als Korrekturkriterium zur Vermeidung unbilliger Ergebnisse herangezogen werden.[104] Daher ist die Subsumption des *Brexit* unter weitere Tatbestandsmerkmale geboten.

Fraglich ist dabei schon, ob der *Brexit,* d. h. konkret der (teilweise) Wegfall der Zollunion und des Binnenmarktes, eine schwerwiegende Veränderung i.S.d. § 313 Abs. 1 BGB darstellt. Das auslösende Moment für eine Anwendbarkeit des § 313 BGB ist stets erst der Vollzug des *Brexit* bzw. die Verwirklichung seiner Auswirkungen, die derzeit für den 1. Januar 2021 erwartet werden. Die Veränderung muss von einer gewissen Schwere sein und über das von den Parteien auf sich zu nehmende Veränderungsrisiko hinausgehen (sog. „Äquivalenzstörung").[105] Die Rechtsprechung stellt für dieses Tatbestandsmerkmal

---

[100]BGH, Urteil vom 11.10.1994, Az.: XI ZR 189/93, in NJW 1995, 47 (48).
[101]*Finkenauer*, in: *Säcker et al.*, MüKo BGB, 8. Aufl. 2019, § 313, Rn. 5 und 76; *Lorenz*, in: *Bamberger et al.*, BeckOK BGB, 50. Edn., 2019, § 313, Rn. 1 a.E.; *Paulus*, Der „Brexit" als Störung der „politischen" Geschäftsgrundlage?, in: *Kramme et al.*, Brexit und die juristischen Folgen, 2017, 101 (113).
[102]Für Wechselkursschwankungen und wohl auch für Zölle, vgl. *Grupp*, Vertragsgestaltung in Zeiten von Brexit, NJW 2017, 2065 (2066 f.); für Zölle, vgl. *Rüscher*, Vertragsanpassungen als Reaktion auf den Brexit nach deutschem, englischem, französischem, italienischem und spanischem Recht sowie nach UN-Kaufrecht, EuZW 2018, 937 (941).
[103]BGH, Urteil vom 01.02.2012, VIII ZR 307/10, in: NJW 2012, 1718 (1720), Rn. 30, m. w. N.
[104]Kritisch und gegen eine Subsumptionsmöglichkeit unter dieses Tatbestandsmerkmal: *Finkenauer*, in: *Säcker et al.*, MüKo BGB, 8. Aufl. 2019, § 313, Rn. 76.
[105]BGH, Urteil vom 04.10.1988, Az.: VI ZR 46/88, in: NJW 1989, 289 (290); *Finkenauer*, in: *Säcker et al.*, MüKo BGB, 8. Aufl. 2019, § 313, Rn. 58.

stets auf die Umstände des Einzelfalls ab, wobei insgesamt allerdings eine eher restriktive Auslegung bei einer Veränderung der wirtschaftlichen Rahmenbedingungen zu beobachten ist.[106] Bei der 2007 beginnenden weltweiten Finanzkrise, die insbesondere Auswirkungen auf die Wohnungsmärkte hatte,[107] hat die Rechtsprechung beispielsweise eine Vertragsanpassung auf Grundlage des § 313 BGB regelmäßig abgelehnt.[108] Auch die infolge der deutschen Wiedervereinigung entstehenden Missverhältnisse hat der BGH *per se* nicht als Grund für eine Vertragsanpassung gelten lassen.[109] Ebenso wurde eine Kostensteigerung infolge der Ölkrise in den 1970er Jahren als unternehmerisches Risiko angesehen und führte nicht zu einer Anpassung von Preisbindungsklauseln, obwohl die Kostensteigerung nicht nur zu einem Gewinnrückgang, sondern sogar zu einem Verlust bei dem Vertragspartner führte.[110] Allerdings hat der BGH eine Störung der Geschäftsgrundlage zu Gunsten eines Käufers von Bier angenommen, als sich infolge der islamischen Revolution im Iran die politischen, wirtschaftlichen

---

[106]Der BGH hat z. B. eine Steigerung der Lebenshaltungskosten um 150,3 % als ausreichend angesehen, s. BGH, Urteil vom 24.02.1984, Az.: V ZR 222/82, in: NJW 1984, 2212 (2213), während ihm 133,47 % in einem anderen Fall nicht genügten, s. BGH, Urteil vom 17.12.1982, Az.: V ZR 306/81, in: NJW 1983, 1309 (1310); Ausnahmen bilden Verträge über Versorgungsleistungen, bei denen schon eine Preissteigerung um 33 % den Anwendungsbereich des § 313 BGB auslösen kann, s. BGH, Urteil vom 04.11.1976, Az.: II ZR 148/75, in: WM 1977, 53 ff. und BGH, Urteil vom 28.05.1973, Az.: II ZR 58/71, in: NJW 1973, 1599 ff.; zustimmend insbesondere *Lorenz*, in: *Bamberger et al.*, BeckOK BGB, 50. Edn., 2019, § 313, Rn. 3.

[107]Zu den Anfängen der Finanzkrise und ihren Auswirkungen auf den Wohnungsmarkt s. *Grimes/Hyland*, Housing Markets and the Global Financial Crisis, Contemporary Economic Policy 2015, 315 ff. und *Schaffer/Wheeler*, The impact of housing market disturbances on the US financial system, Applied Economics 2016, 759 ff

[108]KG, Schlussurteil vom 05.11.2012, Az.: 8 U 171/11, in: NJW 2013, 478 (479); LG Kaiserslautern, Urteil vom 13.01.2010, Az.: 4 O 260/09, in: BeckRS 2011, 11026; LAG München, Urteil vom 04.05.2011, Az.: 11 Sa 1018/10, in: BeckRS 2011, 141739; wohlwollender sahen dies US-Gerichte, die (hier im Zusammenhang mit der Business Judgement Rule) die Finanzkrise als außergewöhnlichen Umstand qualifizierten: *Giuffra/Korsmo*, The Financial Crisis and the Business Judgement Rule, 17 Corp. Gov. Advisor 1, 2009, 9 (11). Rn. 108 ff.

[109]BGH, Urteil vom 25.02.1993, Az.: VII ZR 24/92, in: NJW 1993, 1856.

[110]BGH, Urteil vom 25.05.1977, Az.: VIII ZR 196/75, in: NJW 1977, 2262 (2263).

und gesetzlichen Verhältnisse derart verändert haben, dass ein Absatz von Bier dort aufgrund eines gesetzlichen Alkoholhandelsverbots nicht mehr möglich war.[111] Vor dem Hintergrund der vorgenannten Beispiele dürften aufgrund des *Brexit* möglicherweise erhobene Zölle und eine damit einhergehende Verteuerung von Waren und Dienstleistungen kaum den Grad einer „schwerwiegenden Veränderung" erreichen.

Die Störung müsste außerdem außerhalb der Grenzen der Risikozuweisung liegen.[112] D. h., dass für eine Berücksichtigung von Störungen der Geschäftsgrundlage dann kein Raum ist, wenn nach der vertraglichen oder gesetzlichen Regelung derjenige das Risiko zu tragen hat, der sich auf die Störung beruft.[113] Die Auswirkungen des *Brexit* werden für deutsche Unternehmen voraussichtlich zunächst bei grenzüberschreitenden Lieferbeziehungen mit Unternehmen im Vereinigten Königreich spürbar werden. Bei Lieferverträgen bzw. gemischten Kauf-/Lieferverträgen trägt der Lieferant bzw. der Verkäufer grundsätzlich das Beschaffungsrisiko, während der Empfänger bzw. der Käufer das Absatzrisiko trägt.[114] Verteuert sich die Beschaffung der Ware durch infolge des *Brexit* nunmehr erhobene Zölle bei der Einfuhr in das Vereinigte Königreich oder nach Deutschland, so müssen diese Mehrkosten daher grundsätzlich vom Lieferanten bzw. Verkäufer getragen werden.

Schließlich verlangt § 313 Abs. 1 BGB, dass „die Parteien den Vertrag nicht oder mit einem anderen Inhalt geschlossen [hätten], wenn sie diese Veränderung vorausgesehen hätten". Haben die Parteien also die Störung vorhergesehen, ist eine Störung der Geschäftsgrundlage grundsätzlich ausgeschlossen.[115] Eine Vertragsanpassung oder -aufhebung ist

---

[111] Obwohl das Absatzrisiko grundsätzlich beim Verkäufer liegt, hat der BGH dieses Risiko zwischen den Vertragsparteien aufgeteilt, vgl. BGH, Urteil vom 08.02.1984, Az.: VIII ZR 254/82, in: NJW 1984, 1746 (1747 f.).
[112] *Schulze*, in: *Schulze*, Bürgerliches Gesetzbuch, 10. Aufl. 2019, § 313, Rn. 16.
[113] St. Rspr., vgl. nur BGH, Urteil vom 01.06.1979, Az.: V ZR 80/77, in: NJW 1979, 1818 (1819), m. w. N.
[114] *Finkenauer*, in: *Säcker et al.*, MüKo BGB, 8. Aufl. 2019, § 313, Rn. 73.
[115] *Finkenauer*, in: *Säcker et al.*, MüKo BGB, 8. Aufl. 2019, § 313, Rn. 74, m. w. N.

dann kaum denkbar.[116] Denn die Parteien hätten Vorkehrungen treffen können, um das Risiko der Störung vertraglich zu adressieren und damit ihre Auswirkungen abzumildern. Haben die Parteien keine Vorkehrungen in Ansehung einer (potenziellen) Störung getroffen, so ist davon auszugehen, dass sie das Risiko hierfür übernommen haben.[117]

Im vorliegenden Falle lag eine Störung, namentlich die Auswirkungen des *Brexit,* schon seit dem 20. Februar 2016, an dem der Termin für das Referendum verkündet wurde, im Bereich des Möglichen und war daher von den Parteien vorhersehbar. Das Bekanntwerden des Abstimmungsergebnisses des Referendums vom 23. Juni 2016 und die Beantragung des EU-Austritts durch Premierministerin *May* am 29. März 2017 sind nachfolgende Ereignisse, die die Vorhersehbarkeit verfestigt, nicht aber erst begründet haben. Parteien, deren vertragliche Beziehungen nach dem Ende des Übergangszeitraums möglicherweise von einem – „harten" oder „weichen" – *Brexit* berührt werden, hätten folglich seit dem Bekanntwerden des Abstimmungstermins geeignete Klauseln zur Anpassung ihrer Vertragsverhältnisse an ein *post-Brexit* Szenario aufnehmen können. Soweit dies nicht geschehen ist, dürfte mit der ständigen Rechtsprechung eine Anpassung bzw. eine Aufhebung des Vertrages auf Grundlage des § 313 BGB ausgeschlossen sein. Bei Verträgen, die vor dem 20. Februar 2016 geschlossen wurden, wird man wohl verneinen müssen, dass die Parteien die Auswirkungen des *Brexit* hätten voraussehen können.[118] Ob es überhaupt zu einem Referendum kommen würde, war davor kaum abzusehen.

Folglich erscheint es äußerst fraglich, ob bei einer vorhersehbaren und – vergleichsweise – bloß geringen Leistungserschwerung wie dem

---

[116]*Schulze*, in: *Schulze*, Bürgerliches Gesetzbuch, 10. Aufl. 2019, § 313, Rn. 17, der dazu das Vorliegen „besonderer Umstände" für erforderlich hält; eindeutiger aber ggf. dann, wenn „die Beteiligten tatsächlich gar nicht die Möglichkeit hatten, ihre [...] Bedenken im Hinblick auf die ungünstige Entwicklung [...] bei der Gestaltung des Vertrags [...] zu berücksichtigen [...]", vgl. BGH, Urteil vom 23.05.1951 – II ZR 71/50, in: NJW 1951, 602 (604).

[117]*Lorenz*, in: *Bamberger et al.*, BeckOK BGB, 50. Edn., 2019, § 313, Rn. 28.

[118]A.A.: *Finkenauer*, in: *Säcker et al.*, MüKo BGB, 8. Aufl. 2019, § 313, Rn. 74 a.E., der die Voraussehbarkeit des *Brexit* schon im Zeitpunkt der Ankündigung des Referendums im Januar 2013 annimmt.

Brexit eine Störung der Geschäftsgrundlage angenommen werden kann.[119] Im Regelfall wird dies zu verneinen sein.

2.3.1.2 Außerordentliche Kündigung

Des Weiteren wird die Möglichkeit des Rechts zur außerordentlichen Kündigung aus wichtigem Grund nach § 314 BGB infolge des *Brexit* diskutiert.[120] Ein wichtiger Grund liegt nach § 314 Abs. 1 BGB vor, „wenn dem kündigenden Teil unter Berücksichtigung aller Umstände des Einzelfalls und unter Abwägung der beiderseitigen Interessen die Fortsetzung des Vertragsverhältnisses bis zur vereinbarten Beendigung oder bis zum Ablauf einer Kündigungsfrist nicht zugemutet werden kann". Dauerschuldverhältnisse mit einem Recht zur außerordentlichen Kündigung stellen beispielsweise Darlehensverträge[121], Dienstverträge[122] sowie auch Kauf- und Werkverträge dar, wenn es sich dabei um wiederkehrende Leistungen aus einem Rahmenvertrag,[123] sukzessive Lieferungen[124] oder *„just-in-time"*-Lieferungen[125] handelt.

Für die vorgenannten Verträge ergeben sich bei einem Wegfall der europäischen Grundfreiheiten (hier namentlich der Kapitalverkehrsfreiheit, der Dienstleistungsfreiheit sowie der Warenverkehrsfreiheit) zwar beispielsweise durch Verteuerungen oder Verhinderungen der jeweiligen Leistungen möglicherweise Umstände, die einer Vertrags-

---

[119]Ablehnend: *Emde*, Brexit und Vertrieb, ZVertriebsR 2018, 77 (78); *Mayer/Manz*, Der Brexit und seine Folgen auf den Rechtsverkehr zwischen der EU und dem Vereinigten Königreich, BB 2016, 1731 (1735); *Paulus*, Der „Brexit" als Störung der „politischen" Geschäftsgrundlage?, in: *Kramme et al.*, Brexit und die juristischen Folgen, 2017, 101 (109 ff.); *Rüscher*, Vertragsanpassungen als Reaktion auf den Brexit nach deutschem, englischem, französischem, italienischem und spanischem Recht sowie nach UN-Kaufrecht, EuZW 2018, 937 (943).
[120]Für Vertriebsverträge vgl. *Emde*, Brexit und Vertrieb, ZVertriebsR 2018, 77 (79).
[121]BGH, Urteil vom 06.03.1986, Az.: III ZR 245/84, in: NJW 1986, 1928 (1929).
[122]BGH, Urteil vom 22.05.1990, Az.: IX ZR 208/89, in: NJW 1990, 2549 (2550).
[123]BGH, Urteil vom 03.11.1999, Az.: I ZR 145/97, in: NJW-RR 2000, 1560 (1561).
[124]*Lorenz*, in: *Bamberger et al.*, BeckOK BGB, 50. Edn., 2019, § 314, Rn. 6.
[125]A. a. O.

partei eine Fortsetzung des Vertrages unzumutbar machen würden.[126] Allerdings kann das Recht zur außerordentlichen Kündigung nach § 314 Abs. 1 BGB grundsätzlich nur auf Gründe gestützt werden, die im Risikobereich des Kündigungsgegners liegen.[127] Gründe, die dem Einfluss des Kündigungsgegners entzogen sind und im Einflussbereich des Kündigenden liegen, können nicht zu einer außerordentlichen Kündigung berechtigen.[128]

Der *Brexit* ist dem Einflussbereich und damit der Risikosphäre beider Vertragsparteien entzogen. Er stellt damit keinen wichtigen Grund i.S.d. § 314 Abs. 1 Satz 2 BGB dar.[129]

2.3.1.3 Unmöglichkeit

Schließlich könnte die zur Leistung verpflichtete Vertragspartei nach § 275 BGB von ihrer Leistungspflicht frei werden, wenn die Leistung für sie unmöglich ist. Durch den vollständigen bzw. teilweisen Wegfall der Grundfreiheiten wird der grenzüberschreitende Verkehr mit Waren und Dienstleistungen zwischen Unternehmen im Vereinigten Königreich und Deutschland nicht vollständig unmöglich werden oder gar verboten sein. Daher handelt es sich hier nicht um einen Fall der tatsächlichen oder rechtlichen Unmöglichkeit[130] oder des Unvermögens (sog. „subjektive Unmöglichkeit").[131] Vielmehr wird die Leistungserbringung durch den *Brexit* in finanzieller Hinsicht durch die Erhebung

---

[126]Das Entfallen der Arbeitnehmerfreizügigkeit kann zudem Auswirkungen auf Arbeitsverträge haben, vgl. *Rüscher*, Vertragsanpassungen als Reaktion auf den Brexit nach deutschem, englischem, französischem, italienischem und spanischem Recht sowie nach UN-Kaufrecht, EuZW 2018, 937 (942).
[127]BGH, Urteil vom 27.01.2016, Az.: XII ZR 33/15, in: NJW 2016, 2652 (2655); nach *Lorenz* stellt das Recht zur außerordentlichen Kündigung ein vertragsimmanentes Mittel zur Auflösung der Vertragsbeziehung dar, s. *Lorenz*, in: *Bamberger et al.*, BeckOK BGB, 50. Edn., 2019, § 314, Rn. 7, m. w. N.
[128]BGH, Urteil vom 01.07.1997, Az.: XI ZR 267/96, NJW 1997, 2875 (2876).
[129]Ebenso für Vertriebsverträge *Emde*, Brexit und Vertrieb, ZVertriebsR 2018, 77 (79).
[130]Vgl. § 275 Abs. 1 Alt. 1 BGB.
[131]Vgl. § 275 Abs. 1 Alt. 2 BGB.

von Zöllen und Durchführung von Zollkontrollen lediglich erschwert, sodass hier allein ein Fall der wirtschaftlichen Unmöglichkeit gemäß § 275 Abs. 2 S. 1 BGB gegeben sein könnte.

Eine Leistung ist dem Schuldner wirtschaftlich unmöglich, „soweit diese einen Aufwand erfordert, der unter Beachtung des Inhalts des Schuldverhältnisses und der Gebote von Treu und Glauben in einem groben Missverhältnis zu dem Leistungsinteresse des Gläubigers steht".[132] Dies ist der Fall, wenn eine übermäßige Leistungserschwerung vorliegt, die dem Schuldner wegen Überschreitens der sog. „Opfergrenze" nicht zugemutet werden kann.[133] In Fällen, in denen sich zum Beispiel die Beschaffungskosten für eine Ware aufgrund der Marktsituation verdoppeln, aber das Interesse des Gläubigers an der Lieferung der Ware gleich bleibt, soll das dadurch entstehende Missverhältnis durch das Freiwerden des Schuldners von der Leistungspflicht aufgelöst werden. Im Falle des *Brexit* werden sich die Waren bei der Einfuhr in das Vereinigte Königreich (bzw. umgekehrt in die EU) zwar durch Zölle und andere tarifäre Handelsbarrieren nicht ganz unerheblich verteuern. Allerdings wird sich im Regelfall auch das Interesse des Gläubigers an der Lieferung proportional zu dem Aufwand des Schuldners erhöhen,[134] wenn es sich um Waren handelt, die nicht durch einheimische Waren substituierbar sind. Denn für eine grenzüberschreitende Ersatzbeschaffung müsste der Gläubiger die nunmehr durch Zölle gestiegenen Preise bezahlen, weil der Lieferant die Zölle auf den Empfänger umlegen würde. Daran hat der Gläubiger selbstverständlich kein Interesse. Er hat umgekehrt vielmehr ein gesteigertes Interesse an der Lieferung der Ware zu den zuvor vereinbarten Preisen, wobei der Lieferant, der das Beschaffungsrisiko trägt, auch die Kosten für Zölle tragen muss. Folglich ist § 275 Abs. 2 BGB in diesen Fällen des gleichzeitigen Anstiegs von Schuldneraufwand und Gläubigerinteresse mangels Missverhältnisses nicht anwendbar. Eine etwaige

---

[132] Vgl. § 275 Abs. 2 S. 1 BGB.
[133] *Lorenz*, in: *Bamberger et al.*, BeckOK BGB, 50. Edn., 2019, § 275, Rn. 33.
[134] *Lorenz*, in: *Bamberger et al.*, BeckOK BGB, 50. Edn., 2019, § 313, Rn. 45.

Unzumutbarkeit ist eine Frage der Störung der Geschäftsgrundlage gemäß § 313 BGB.[135]

Selbst wenn man aber davon ausginge, dass eine Ersatzbeschaffung identischer Waren im Inland zollfrei möglich wäre und damit das Gläubigerinteresse gleich bliebe, so müsste für das Freiwerden von der Leistungspflicht gemäß § 275 Abs. 2 S. 1 BGB ein grobes Missverhältnis zwischen Schuldneraufwand und Gläubigerinteresse vorliegen. Dieses Missverhältnis ist nicht schon dann gegeben, wenn der Aufwand des Schuldners den Ertrag des Gläubigers übersteigt und der *homo oeconomicus* von einer Leistung absehen würde.[136] Das Missverhältnis muss vielmehr ein besonders krasses und unerträgliches Ausmaß erreichen.[137] Auch wenn pauschale Grenzen grundsätzlich nicht gezogen werden können,[138] muss der Schuldner nach dem BGH mindestens diejenigen Aufwendungen hinnehmen, die er beim Schadensersatz statt der Leistung erbringen müsste.[139] Dies gilt insbesondere für Überseekäufe oder Großhandelsgeschäfte sowie grundsätzlich bei Gattungsschulden.[140] Der Lieferant müsste den Empfänger gemäß § 249 Abs. 1 BGB also mindestens so stellen, wie er stünde, wenn ordnungsgemäß geliefert worden wäre. Folglich stellen die Kosten für eine Ersatzbeschaffung der gleichen Ware von Dritten (sog. „Deckungskauf") die Untergrenze dar. Da beim Deckungskauf

---

[135] So die h.L.: *Finkenauer*, in: *Säcker et al.*, MüKo BGB, 8. Aufl. 2019, § 313, Rn. 162; *Lorenz*, in: *Bamberger et al.*, BeckOK BGB, 50. Edn., 2019, § 314, Rn. 45; *Schulze*, in: *Schulze*, Bürgerliches Gesetzbuch, 10. Aufl. 2019, § 313, Rn. 8; Rspr. dazu ist nicht ersichtlich.
[136] *Ernst*, in: *Säcker et al.*, MüKo BGB, 8. Aufl. 2019, § 275, Rn. 95.
[137] BGH, Urteil vom 21.04.2010, Az.: VIII ZR 131/09, in: NJW 2010, 2050 (2052), Rn. 21 ff.; *Ernst*, in: *Säcker et al.*, MüKo BGB, 8. Aufl. 2019, § 275, Rn. 96; *Stadler*, in: *Stürner*, Jauernig BGB, 17. Aufl. 2018, § 275, Rn. 26, der eine Anwendbarkeit der Norm nur bei „Extremfällen" sieht.
[138] *Lorenz*, in: *Bamberger et al.*, BeckOK BGB, 50. Edn., 2019, § 275, Rn. 60; a. A.: *Stadler*, in: *Stürner*, Jauernig BGB, 17. Aufl. 2018, § 275, Rn. 26, der einen Richtwert von 110 bis 150 % gelten lassen will.
[139] BGH, Urteil vom 30.05.2008, Az.: V ZR 184/07, in: NJW 2008, 3122 (3123), Rn. 17 f.; zustimmend: *Ernst*, in: *Säcker et al.*, MüKo BGB, 8. Aufl. 2019, § 275, Rn. 97.
[140] BGH, Urteil vom 12.07.1972, Az.: VIII ZR 200/71, in: NJW 1972, 1702 (1703); *Lorenz*, in: *Bamberger et al.*, BeckOK BGB, 50. Edn., 2019, § 275, Rn. 60; *Schulze*, in: *Schulze*, Bürgerliches Gesetzbuch, 10. Aufl. 2019, § 275, Rn. 21.

jedoch die Gewinnmarge des Lieferanten vollständig entfällt, wird sich der Lieferant selbst in diesem Fall nur in Ausnahmefällen auf die Unmöglichkeit der Leistungserbringung berufen; nämlich dann, wenn die durch den *Brexit* entstandenen Mehrkosten seinen Gewinn übersteigen.

2.3.2 Internationale Rechtsfiguren

Andere Autoren versuchen, den *Brexit* unter die in internationalen Verträgen häufig vorzufindenden Rechtsfiguren des internationalen Vertragsrechts zu subsummieren.[141] Diesen Rechtsfiguren ist gemein, dass sie in Ermangelung eines Anknüpfungspunktes im deutschen Recht stets nur dann anwendbar sind, wenn sie ausdrücklich in den Vertrag aufgenommen wurden.

2.3.2.1 Force Majeure

Unter dem Begriff der „*force majeure*" (dt.: höhere Gewalt) wird im Allgemeinen das temporäre oder dauerhafte Freiwerden von oder die Anpassung der Leistungspflicht aufgrund eines außergewöhnlichen Ereignisses oder Umstandes verstanden, der von der betroffenen Partei nicht beeinflusst werden kann und gegen den sie weder vor Vertragsschluss hätte Vorkehrungen treffen können, noch nach Vertragsschluss hätte verhindern können.[142] Klauseln dieser Art sind dem deutschen Recht fremd.[143] Soweit die Anwendbarkeit des UN-Kaufrechtsüberein-

---

[141] Siehe insbesondere *Emde*, Brexit und Vertrieb, ZVertriebsR 2018, 77 (77 ff.); für das englische Recht vgl. *Gordon/Moffatt*, Brexit: The Immediate Legal Consequences, 2016.
[142] Vgl. Ziffer 19 der Conditions of Contract for Plant and Design-Build for Electrical and Mechanical Plant and for Building and Engineering Works Designed by the Contractor (Yellow Book), FIDIC, 1999.
[143] *Weick*, Force Majeure – Rechtsvergleichende Untersuchung und Vorschlag für eine einheitliche europäische Lösung, ZWuP 2014, 281 (284); zwar wird in der VOB/B auf diesen Begriff in § 6 Abs. 2 Nr. 1 *lit.* (c) sowie in § 7 Abs. 1 Bezug genommen, allerdings ohne eine Definition auszuweisen.

kommens gegeben ist und nicht – wie üblich – ausgeschlossen ist,[144] kann Art. 79 Abs. 1 CISG als Anspruchsgrundlage herangezogen werden, der eine vergleichbare Definition enthält. Überwiegend werden diese Klauseln jedoch in internationalen Anlagenbauverträgen, z. B. für *Offshore*-Windparks, verwendet.[145] Diesem primären Anwendungsbereich entsprechend werden der abstrakten Definition regelmäßig konkrete Regelbeispiele für Fälle höherer Gewalt beigefügt, beispielsweise Naturereignisse (Erdbeben, Stürme, Fluten) sowie Krieg, Aufstände und – in Abhängigkeit von der konkreten Ausgestaltung – Streik, Aussperrungen und Embargos.[146]

Der EU-Austritt des Vereinigten Königreichs ist weder unter die gängigen Regelbeispiele noch unter die allgemeine Definition für höhere Gewalt zu subsumieren. Zwar ist der *Brexit* dem Einflussbereich der Vertragsparteien entzogen. Allerdings war der *Brexit* zumindest seit dem 20. Februar 2016, an dem der Termin für das Referendum festgesetzt wurde, nicht mehr unvorhersehbar und die Parteien hätten Vorkehrungen treffen können.[147] Ohne ausdrückliche Nennung des *Brexit* als Regelbeispiel qualifiziert er sich daher wohl nicht als ein Fall höherer Gewalt.[148]

2.3.2.2 Frustration

Nach der aus dem *Common Law* stammenden Lehre des *„frustration of purpose"* (dt.: Enttäuschung bzw. Vereitelung des Vertragszwecks)

---

[144]Der Ausschluss des UN-Kaufrechts bzw. des CISG erfolgt regelmäßig im Rahmen der Rechtswahlklausel.
[145]*Kaminsky*, in: *Jansen/Seibel*, VOB Teil B, 4. Aufl., 2016, Anhang § 18, Rn. 159.
[146]*Reif et al.*, BREXIT – Auswirkungen auf Handel und Vertrieb, ZVertriebsR 2017, 35 (37); *Rüscher*, Vertragsanpassungen als Reaktion auf den Brexit nach deutschem, englischem, französischem, italienischem und spanischem Recht sowie nach UN-Kaufrecht, EuZW 2018, 937 (939).
[147]*Rüscher*, Vertragsanpassungen als Reaktion auf den Brexit nach deutschem, englischem, französischem, italienischem und spanischem Recht sowie nach UN-Kaufrecht, EuZW 2018, 937 (940); zum Tatbestandsmerkmal der „Unvorhersehbarkeit" im europäischen Kontext vgl. *Weick*, Force Majeure – Rechtsvergleichende Untersuchung und Vorschlag für eine einheitliche europäische Lösung, ZWuP 2014, 281 (309).
[148]*Emde*, Brexit und Vertrieb, ZVertriebsR 2018, 77 (78); a. A.: *Reif et al.*, BREXIT – Auswirkungen auf Handel und Vertrieb, ZVertriebsR 2017, 35 (37).

kann ein Vertragspartner aus den Verpflichtungen des Vertrages entlassen werden,[149] wenn der Vertragszweck nicht mehr oder nur ganz anders als ursprünglich gedacht zu erreichen ist,[150] weil sich „die dem Vertrag zugrunde liegenden Umstände tief greifend, unvorhersehbar und keiner Partei zurechenbar verändert haben".[151] Diese Lehre wird mit der Störung der Geschäftsgrundlage nach deutschem Recht verglichen.[152] Sie wurde von einem britischen Gericht erstmals im Jahr 1863[153] angewandt und insbesondere in den sog. „Krönungszugfällen" durch den britischen *Court of Appeal* richterrechtlich ausgeformt.[154] Das Gericht stellte fest, dass der Wegfall einer Bedingung, die zur Grundlage des Vertrags gemacht wurde, die Vertragspartei von ihrer Leistungspflicht frei werden lässt.[155] Diese Bedingung müsse nicht Vertragsinhalt geworden sein; es reiche vielmehr aus, dass die Bedingung aus den äußeren Umständen des Vertrages geschlossen werden könne, die beiden Vertragsparteien bekannt gewesen sind (sog. *„implied condition"*).[156]

Das Bestehen der Zollunion und des EU-Binnenmarktes wird z. B. von den Parteien eines grenzüberschreitenden Liefervertrages vermut-

---

[149]Gleichzeitig entfällt jedoch auch die Gegenleistungspflicht des anderen Vertragspartners, vgl. *McKendrick,* in: *Beale,* Chitty on Contracts, 33rd Edn., 2019, Vol. 1, Part 7, Chapter 23, No. 071, m. w. N.

[150]*Mackay of Clashfern,* Halsbury's Laws of England, Vol. 22, 4th Edn., 2006, 375 f.

[151]*Finkenauer,* in: *Säcker et al.,* MüKo BGB, 8. Aufl. 2019, § 313, Rn. 36.

[152]*Grupp,* Vertragsgestaltung in Zeiten von Brexit, NJW 2017, 2065, (2066); *Rüscher,* Vertragsanpassungen als Reaktion auf den Brexit nach deutschem, englischem, französischem, italienischem und spanischem Recht sowie nach UN-Kaufrecht, EuZW 2018, 937 (942).

[153]*Taylor v. Caldwell,* 06.05.1863, ER 122 QB, 309 (312); damals war der Anwendungsbereich noch sehr weitgehend, vgl. *McKendrick,* in: *Beale,* Chitty on Contracts, 33rd Edn., 2019, Vol. 1, Part 7, Chapter 23, No. 003.

[154]In den sog. „Krönungszugfällen" *(coronation cases)* war die Anmietung von Räumen entlang des Krönungszuges zur Krönung von König *Edward dem VII.* und Königin *Alexandra* im Jahr 1902 obsolet geworden, nachdem der Krönungszug wegen Krankheit des Königs verschoben werden musste.

[155]*Krell v. Henry,* 11.08.1903, LR 2 KB, 740 (740).

[156]A. a. O., 740 (749): „[…] you first have to ascertain, not necessarily from the terms of the contract, but, if required, from necessary inferences, drawn from surrounding circumstances recognised by both contracting parties, what is the substance of the contract […]".

lich kaum – weder ausdrücklich noch stillschweigend – zur Bedingung für die Durchführung eines solchen Vertrages gemacht worden sein. Selbst wenn man dies jedoch annähme, so ist die Lehre der *frustration* als Ausnahmetatbestand eng auszulegen.[157] Bloße Kostensteigerungen und tatsächliche Erschwernisse bei der Lieferung dürften daher wohl nicht das Maß einer *frustration* erreichen.[158]

2.3.2.3 Hardship

Die in internationalen Verträgen verwandten *„harsdhip"*-Klauseln (dt.: Härtefallklauseln) entstammen ebenfalls dem englischen Recht und entsprechen im Wesentlichen (ebenfalls) der Störung der Geschäftsgrundlage nach deutschem Recht. Ein Härtefall ist ein Umstand, der das vertragliche Gleichgewicht zwischen den Vertragsparteien so wesentlich verändert, dass die Vertragserfüllung für eine Vertragspartei ruinös wäre und vernünftigerweise nicht erwartet werden kann.[159] Die Schwelle für die Annahme von *hardship* liegt noch höher als diejenige für eine *frustration*.[160] Daher werden auch hier die infolge des *Brexit* bzw. nach dem Ende des Übergangszeitraums anfallenden Mehrkosten für den Waren-, Kapital- und Personenverkehr zwischen dem Vereinigten Königreich und Deutschland zwar zu einer allgemeinen Verteuerung und einer Leistungserschwerung, wohl aber in der Regel nicht zu einem ruinösen Geschäft führen.[161]

---

[157] *Mackay of Clashfern*, Halsbury's Laws of England, Vol. 22, 4th Edn., 2006, 376, m w N.
[158] *Rüscher*, Vertragsanpassungen als Reaktion auf den Brexit nach deutschem, englischem, französischem, italienischem und spanischem Recht sowie nach UN-Kaufrecht, EuZW 2018, 937 (942).
[159] *Melis*, Force Majeure and Hardship Clauses in International Commercial Contracts in View of the Practices of the ICC Court of Arbitration, 1 J. Int'l Arb. 1984, 213 (215).
[160] *Mackay of Clashfern*, Halsbury's Laws of England, Vol. 22, 4th Edn., 2006, 378.
[161] *Rüscher*, Vertragsanpassungen als Reaktion auf den Brexit nach deutschem, englischem, französischem, italienischem und spanischem Recht sowie nach UN-Kaufrecht, EuZW 2018, 937 (940).

2.3.2.4 Material Adverse Change

Je nach Ausgestaltung des Vertrages kann auch ein sog. *„material adverse change"* (MAC; dt.: wesentliche nachteilige Änderung) zu einer Vertragsanpassung- oder Auflösung führen.[162] Im Grundsatz geht es dabei um ein dem Käufer beim Unternehmenskauf eingeräumtes Rücktrittsrecht zwischen Unterzeichnung und Vollzug des Kaufvertrages, falls Umstände außerhalb des Verantwortungsbereichs des Verkäufers eintreten, die sich auf die wirtschaftlichen Verhältnisse des Zielunternehmens wesentlich nachteilig auswirken.[163] Damit sollen solche Änderungen nach Vertragsschluss noch berücksichtigt werden können. In der europäischen Vertragspraxis sind MAC-Klauseln, die ursprünglich der US-amerikanischen Kautelarpraxis entstammen, allerdings äußerst selten. Vertragliche MAC-Klauseln konkretisieren in Verträgen nach deutschem Recht letztendlich auch nur die gesetzlich kodifizierte Störung der Geschäftsgrundlage,[164] sodass es auch hier fraglich ist, ob der *Brexit* nicht bloß als „erhebliche, äußere Erschütterung" der Wirtschaft,[165] sondern auch rechtlich als eine wesentlich nachteilige Änderung angesehen werden kann. Jedenfalls müsste dazu nicht nur eine MAC-Klausel verwendet worden sein, sondern es müsste darin auch auf das konkrete *Brexit*-Szenario als MAC-Event Bezug genommen werden.[166] Eine entsprechende Verwendung in Verträgen dürfte die Ausnahme sein.

---

[162] *Grupp*, Vertragsgestaltung in Zeiten von Brexit, NJW 2017, 2065 (2068); *Mayer/Manz*, Der Brexit und seine Folgen auf den Rechtsverkehr zwischen der EU und dem Vereinigten Königreich, BB 2016, 1731 (1736).

[163] *Mayer/Manz*, Der Brexit und seine Folgen auf den Rechtsverkehr zwischen der EU und dem Vereinigten Königreich, BB 2016, 1731 (1736); teilweise werden sog. „MAC-*Qualifier*" auch bei den Verkäufergarantien eingesetzt.

[164] *Korch*, Der Unternehmenskauf, JuS 2018, 521 (525).

[165] *Wright et al.*, Brexit, Private Equity and Management, BJM 2016, 682 (682 a. E.).

[166] *Bisle*, Gewährleistungs- und Garantieklauseln in Unternehmenskaufverträgen, DStR 2013, 364 (366); *Mayer/Manz*, Der Brexit und seine Folgen auf den Rechtsverkehr zwischen der EU und dem Vereinigten Königreich, BB 2016, 1731 (1736).

Ihr Transfer in die Praxis

- Der *Brexit* bzw. das Ende des Übergangszeitraums und deren jeweilige Auswirkungen, z. B. Verteuerungen von Waren und Dienstleistungen sowie Handelshemmnisse, erreichen allesamt kein Ausmaß, das den Grundsatz *pacta sunt servanda* einschränken oder zu Fall bringen könnte.
- Insbesondere stellen diese Auswirkungen nach deutschem Recht in der Regel keinen so schwerwiegenden Grund dar, als dass eine Vertragspartei vom Vertrag zurücktreten oder eine Vertragsanpassung verlangen könnte.
- Auch nach Anwendung der Rechtsfiguren des internationalen Vertragsrechts, die teilweise in Verträgen nach deutschem Recht zum Einsatz kommen, ergibt sich kein anderes Ergebnis. Selbst wenn diese Rechtsfiguren ausdrücklich in den Vertrag einbezogen worden sein sollten, so sind die zu erreichenden Schwellen allein durch die Auswirkungen des *Brexit* (ebenfalls) nicht zu erreichen.
- Das vorstehende Ergebnis ist auch deswegen konsequent, weil der *Brexit* seit dem 20. Februar 2016 (Terminierung des Referendums) vorhersehbar war. Unternehmen im Vereinigten Königreich und in Deutschland, die Verträge miteinander geschlossen oder durchgeführt haben, hätten den *Brexit* mithin spätestens seit diesem Tag antizipieren können und – zur Vermeidung wirtschaftlicher Nachteile – auch berücksichtigen müssen.

Literatur

Baha Bonnie (2016) Keep calm and carry on. Forbes 04(10):70

Bamberger HG, Roth H, Hau W, Poseck R (2019) BeckOK BGB, 50. Aufl. C.H. Beck, München

Bartels L (2016) Understanding the UK's position in the WTO after Brexit (Part I – The UK's status and its schedules). https://www.ictsd.org/opinion/understanding-the-uk. Zugegriffen: 9. März 2020

Beale H (Hrsg) (2019) Chitty on contracts, 33. Aufl. Sweet & Maxwell, London

Bisle M (2013) Gewährleistungs- und Garantieklauseln in Unternehmenskaufverträgen, DStR, 364–367

Bode C, Bron J, Fleckenstein-Weiland B, Mick M, Reich M (2016) Brexit – Tax it?, BB, 1367–1372

Calliess C, Ruffert M (2016) EUV/AEUV – das Verfassungsrecht der Europäischen Union mit Europäischer Grundrechtecharta, 5. Aufl. C.H. Beck, München
Choi W-M (2003) Like Products' in international trade law: towards a consistent GATT/WTO jurisprudence. Oxford University Press, Oxford
Eidenmüller H (2016) Negotiating and mediating Brexit, Pepp. L. Rev., 39–64
Emde, R (2018) Brexit und Vertrieb, ZVertriebsR, 77–82
Frase H (2016) Brexit – Konsequenzen für das EU-Steuerrecht und Praxisaufgaben für die steuerrechtliche Vertragsgestaltung, BB, 1750–1752.
Giuffra Jr. R, Korsmo C (2009) The financial crisis and the business judgement rule, 17 Corp. Gov. Advisor 1, 9–11.
Gordon R, Moffatt R (2016) Brexit: the immediate legal consequences. The Constitution Society, London
Grimes Arthur, Hyland Sean (2015) Housing markets and the global financial crisis: the complex dynamics of a credit shock. Contemp Econ Policy 33(2):315–333
Grupp, TM (2017) Vertragsgestaltung in Zeiten von Brexit, NJW, 2065–2070
Hall N (2017) Licensed to Brexit, The Licensing Journal, 20–21
Herrmann C (2017) Brexit, WTO und EU-Handelspolitik, EuZW, 961–967
Hobson S (2016) Destination unknown, MotorTransport, 16–18
Hönsch H, Jonas M, Kleinle W, Plath R, Schell H-G, Schneider WE, Schruff W, Ueberschär M (2016) Trendwatch Going Brexit – IDW Positionspapier zu den Folgen des Brexit-Referendums für Unternehmen und Wirtschaftsprüfer, Düsseldorf
Hookham J (2018) How a no-deal Brexit would affect road transport law, Commercial Motor, 25.
Jansen GA, Seibel M (Hrsg) (2016) VOB Teil B, Vergabe- und Vertragsordnung für Bauleistungen, Kommentar, 4. Aufl. C.H. Beck, München
Kemmner C (2020) Brexit – Aktueller Stand und Auswirkungen des Austrittsabkommens, MPR, 18–20
Korch S (2018) Der Unternehmenskauf, Eine Einführung in Theorie und Praxis, JuS, 521–526
Kramme M, Baldus C, Schmidt-Kessel M (Hrsg) (2017) Brexit und die juristischen Folgen, 1. Aufl. Nomos, Baden-Baden
Mackay of Clashfern JPHB (2006) Halsbury's Laws of England, Bd. 22, 4. Aufl., LexisNexis, London
Maican O-H (2016) Legal aspects of Brexit, Juridicial Tribune, 252–258.
Martony J (2016) Brexit. Brexit?, ELTE L. J., 19–37

Maunz T, Dürig G (Hrsg) (2019) Grundgesetz Kommentar, 86. EL
Mayer B, Manz G (2016) Der Brexit und seine Folgen auf den Rechtsverkehr zwischen der EU und dem Vereinigten Königreich, BB, 1732–1740
Melis W (1984) Force majeure and hardship clauses in international commercial contracts in view of the practices of the ICC court of arbitration, 1 J. Int'l Arb., 213–221
Michl W (2016) Die formellen Voraussetzungen für den Austritt des Vereinigten Königreichs aus der Europäischen Union, NVwZ, 1365–1369
Miller V (2015) The 1974–75 UK Renegotiation of EEC Membership and Referendum, House of Commons Library, Briefing Paper No. 7253
o. V. (2019) Get Brexit Done – Unleash Britain's Potential, The Conservative and Unionist Party Manifesto. https://assets-global.website-files.com/5da4 2e2cae7ebd3f8bde353c/5dda924905da587992a064ba_Conservative%20 2019%20Manifesto.pdf. Zugegriffen: 9. März 2020
Palandt O (2019) Bürgerliches Gesetzbuch, 78. Aufl. C.H. Beck, München
Reif M, David F, von Hauch C (2017) BREXIT – Auswirkungen auf Handel und Vertrieb, ZVertriebsR, 35–39
Reinehr S (2017) The road to Brexit, IPA Review, 62–63
Rüscher D (2018) Vertragsanpassung als Reaktion auf den Brexit nach deutschem, englischem, französischem, italienischem und spanischem Recht sowie nach UN-Kaufrecht, EuZW, 937–943
Säcker FJ, Rixecker R, Oetker H, Limperg B (Hrsg) (2019) Münchener Kommentar zum Bürgerlichen Gesetzbuch, vol 2, 8. Aufl. C.H. Beck, München
Schaffer M, Wheeler M (2016) The impact of housing market disturbances on the US financial system: a pre-crisis analysis. Appl Econ 48(9):759–771
Scheller P (2016) Brexit und die Folgen für das Zollrecht und die indirekten Steuern, DStR, 2196–2201
Schulze R (Hrsg) (2019): Bürgerliches Gesetzbuch, 10. Aufl. Nomos, Baden-Baden
Streinz R (2018) EUV/AEUV – vertrag über die Europäische Union, Vertrag über die Arbeitsweise der Europäischen Union, Charta der Grundrechte der Europäischen Union, 3. Aufl. C.H. Beck, München
Stürner R (Hrsg) (2018) Jauernig Bürgerliches Gesetzbuch, 17. Aufl. C.H. Beck, München
Terhechte JP (2020) Strukturen und Probleme des Brexit-Abkommens, NJW, 425–430
Walshe G (2018) The long road to Brexit, Foreign Policy, 47–50
Weick G (2014) Force Majeure – Rechtsvergleichende Untersuchung und Vorschlag für eine einheitliche europäische Lösung, ZWuP, 281–312

Weller M-P, Thomale C, Benz N (2016) Englische Gesellschaften und Unternehmensinsolvenzen in der Post-Brexit-EU, NJW, 2378–2383

Wright Mike, Wilson Nick, Gilligan John, Bacon Nick, Amess Kevin (2016) Brexit, Private Equity and Management. BJM 27:682–686

Zwirlein S, Großerichter H, Gätsch A (2017) Exit before Brexit – Handlungsoptionen für Gesellschaften englischen Rechts in Deutschland unter besonderer Berücksichtigung der LLP, NZG, 1041–1046

3
Sorgfaltspflichten des Vorstandes einer Aktiengesellschaft

> **Was Sie aus diesem Kapitel mitnehmen**
>
> - Grundlagen – wie sehen die generellen Sorgfaltspflichten des Vorstandes einer Aktiengesellschaft aus?
> - Konkretisierung der Sorgfaltspflichten durch das Aktiengesetz und zusätzliche Regelwerke
> - Voraussetzungen und Rechtsfolgen der *Business Judgement Rule*
> - Maßnahmen, die der Vorstand im Zusammenhang mit dem *Brexit* ergreifen muss, um nachteilige Auswirkungen auf die AG zu vermeiden bzw. abzuwenden
> - Anwendbarkeit der *Business Judgement Rule* auf Handlungen des Vorstands im Zusammenhang mit dem *Brexit*

Vor dem Hintergrund der oben erfolgten rechtlichen Einordnung des *Brexit* und seiner Auswirkungen auf Verträge zwischen deutschen und britischen Unternehmen, stellt sich nunmehr die Frage nach der vom Vorstand einer Aktiengesellschaft anzuwendenden Sorgfalt. Dazu werden zunächst die Sorgfaltspflichten des Vorstands einer deutschen

Aktiengesellschaft im Allgemeinen dargestellt (s. u. 3.1). Anschließend werden diese Sorgfaltspflichten für den *Brexit* spezifiziert und Maßnahmen aufgezeigt, die der Vorstand ergreifen musste bzw. muss (s. u. 3.2).

3.1 Sorgfaltspflichten und Verantwortlichkeit des Vorstandes im Allgemeinen

Der Vorstand leitet die Gesellschaft gem. § 76 Abs. 1 AktG in eigener Verantwortung. Kern dieser Geschäftsleitung sind die vom Vorstand zu treffenden unternehmerischen Entscheidungen, die über nicht weniger als Fortkommen und Existenz des Unternehmens entscheiden. Dabei muss der Vorstand nicht nur die erwerbswirtschaftlichen Interessen der AG beachten, sondern auch die Interessen der inneren und äußeren *Stakeholder* der Gesellschaft,[1] namentlich von Aktionären, Arbeitnehmern, Gläubigern, der Allgemeinheit, und schließlich – von gesteigerter Wichtigkeit für operative Unternehmen – von Vertragspartnern, d. h. Lieferanten und Abnehmern gleichermaßen.[2]

Zentrale Vorschrift für die Bestimmung der im Rahmen von Vorstandsentscheidungen in der AG zu beachtenden Sorgfaltspflichten und Verantwortlichkeiten ist § 93 Abs. 1 S. 1 und 2 AktG:

> „Die Vorstandsmitglieder haben bei ihrer Geschäftsführung die Sorgfalt eines ordentlichen und gewissenhaften Geschäftsleiters anzuwenden. Eine Pflichtverletzung liegt nicht vor, wenn das Vorstandsmitglied bei einer unternehmerischen Entscheidung vernünftigerweise annehmen durfte, auf der Grundlage angemessener Information zum Wohle der Gesellschaft zu handeln."

---

[1] Zum sog. „*Stakeholder Approach*" vgl. grundlegend *Freeman*, Strategic Management – A Stakeholder Approach, 1984.
[2] *Spindler*, in: *Goette et al.*, MüKo AktG, Bd. 2, 5. Aufl. 2019, § 93, Rn. 22.

Während Satz 1 den Maßstab der anzuwendenden Sorgfalt beschreibt, formuliert Satz 2 auf Basis der darin kodifizierten[3] sog. „*Business Judgement Rule*"[4] eine Haftungseinschränkung für bestimmtes Vorstandshandeln.

3.1.1 Sorgfaltspflichten

Die organschaftlichen Sorgfaltspflichten des Vorstandes der AG ergeben sich unmittelbar aus dem Gesetz und könnten daneben auch mittelbar durch sog. „*Soft Law*" bestimmt werden. Darüber hinaus könnte sich eine Konkretisierung der gesetzlichen Sorgfaltspflichten aus dem Anstellungsvertrag des jeweiligen Vorstandsmitglieds, der Geschäftsordnung des Vorstandes sowie aus etwaigen Berufspflichten (z. B. als Rechtsanwalt, Steuerberater oder Wirtschaftsprüfer) ergeben, die hier jedoch aufgrund ihrer Vielfältigkeit und starken Einzelfallbezogenheit nicht vertieft betrachtet werden können.

3.1.1.1 Verhaltensmaßstab

In Ansehung der sich aus § 76 Abs. 1 AktG ergebenden Pflicht des Vorstandes zur eigenverantwortlichen Leitung der AG konkretisiert § 93 Abs. 1 S. 1 AktG die vom Vorstand anzuwendende Sorgfalt im Verhältnis zu den allgemeinen Verhaltensstandards aus § 276 Abs. 2 BGB und

---

[3]*Fleischer*, Aktuelle Entwicklungen der Managerhaftung, NJW 2009, 2337 (2338); *Hölters*, in: *Hölters*, AktG, 3. Aufl., 2017, § 93, Rn. 29; *Hoffmann-Becking*, Vorstandsvergütung nach Mannesmann, NZG 2006, 127 (128); *Spindler*, in: *Goette et al.*, MüKo AktG, Bd. 2, 5. Aufl., 2019, § 93, Rn. 43, m. w. N.; a. A. *Koch*, in: *Hüffer/Koch*, Aktiengesetz, 13. Aufl., 2018, § 93, Rn. 10: „[...] § 93 I 2 [enthält] keine Übernahme der BJR [...], sondern lediglich ihre abwandelnde Einpassung in die Haftungskonzeption des § 93 [...]." und zurückhaltender *Paefgen*, Die Darlegungs- und Beweislast bei der Business Judgement Rule, NZG 2009, 891 (891).

[4]Grundlegend: *Gimbel v. Signal Companies*, 10.01.1974, 316 A.2d, 599 (605 und 608 f.): „[...] [T]he directors of the [...] corporation are clothed with [the] presumption which the law accords to them of being actuated in their conduct by a *bona fide* regard for the interests of the corporation whose affairs the stockholders have committed to their charge [...]".

§ 347 Abs. 1 HGB.[5] Der Verhaltensmaßstab des § 93 AktG ist damit strenger und führt zu einer entsprechend erhöhten Sorgfaltspflicht, die über die Sorgfalt eines ordentlichen Kaufmanns hinausgeht.[6] Dies folgt aus dem Umstand, dass der Vorstand fremde Vermögensinteressen treuhänderisch wahrnimmt.[7] Die Sorgfaltspflichten obliegen dem Vorstand daher im Innenverhältnis gegenüber der AG.[8]

Die Anforderungen an die Sorgfalt des Vorstandes sind von einer Vielzahl von Faktoren abhängig und für jeden Einzelfall gesondert zu bestimmen. Einflussnehmende Faktoren können sein: Art und Größe des Unternehmens, seine Branche, seine wirtschaftliche und finanzielle Lage sowie die Konjunkturlage insgesamt, die Zahl der Beschäftigen, die Zeitverhältnisse sowie die sich aus der Satzung, Geschäftsordnung oder dem Anstellungsvertrag ergebenden besonderen Aufgaben des einzelnen Vorstandsmitglieds.[9] Bankunternehmen werden i. d. R. andere Sorgfaltspflichten zukommen als Industrie- oder Versorgungsunternehmen oder Unternehmen in öffentlicher Trägerschaft.[10] Anhaltspunkt für den Verhaltensmaßstab kann daher das Verhalten eines ordentlichen und gewissenhaften Geschäftsleiters eines Unternehmens vergleichbarer Art und Größe in der konkreten Situation sein,[11] wobei eine tatsächliche Übung[12] in solchen vergleichbaren Unternehmen, eine persönliche Unfähigkeit oder mangelnde Erfahrung[13] den Vorstand grundsätzlich nicht entlasten kann.

Maßgeblich bestimmt werden die Sorgfaltspflichten des Vorstandes außerdem durch die Zweckförderungspflicht sowie das Gewinnziel der

---

[5] *Koch*, in: *Hüffer/Koch*, Aktiengesetz, 13. Aufl. 2018, § 93, Rn. 6.
[6] OLG Koblenz, Urteil vom 10.06.1991, Az.: 6 U 1650/89, in: BeckRS 1991, 31002941.
[7] BGH, Urteil vom 20.02.1995, Az.: II ZR 143/93, in DStR 1995, 1033 (1033).
[8] *Koch*, in: *Hüffer/Koch*, Aktiengesetz, 13. Aufl., 2018, § 93, Rn. 6.
[9] *Fleischer*, in: *Spindler/Stilz*, AktG, 4. Aufl., 2019, § 93, Rn. 41; *Spindler*, in: *Goette et al.*, MüKo AktG, Bd. 2, 5. Aufl., 2019, § 93, Rn. 25, m.w.N.
[10] *Böttcher*, Bankenvorstandshaftung im Rahmen der Sub-Prime Krise, NZG 2009, 1047 (1050); *Fleischer*, in: *Spindler/Stilz*, AktG, 4. Aufl., 2019, § 93, Rn. 41.
[11] *Böttcher*, Bankenvorstandshaftung im Rahmen der Sub-Prime Krise, NZG 2009, 1047 (1050).
[12] *Fleischer*, in: *Spindler/Stilz*, AktG, 4. Aufl., 2019, § 93, Rn. 41.
[13] BGH, Urteil vom 20.02.1995, Az.: II ZR 143/93, in: NJW 1995, 1290 (1291).

Gesellschaft.[14] Erstere obliegt grundsätzlich den Aktionären,[15] bindet aber auch den treuhänderisch für die Aktionäre agierenden Vorstand.[16] Letzteres ergibt sich aus der unternehmerischen Grundkonzeption und ist nicht zuletzt aufgrund des Bestandserhaltungsinteresses des Unternehmens unverzichtbar.[17] Begrenzt werden Zweckförderungspflicht und Gewinnziel gleichwohl durch die geltenden Gesetze, die der Vorstand beachten muss (sog. *„Legalitätspflicht"*) und bezüglich derer er dafür Sorge zu tragen hat, dass die AG diese ebenfalls einhält (sog. *„Legalitätskontrollpflicht"*).[18]

3.1.1.2 Soft Law

Das sog. *„Soft Law"* beschreibt Verhaltensstandards (engl.: *codes of conduct*) oder eine sog. „gute Übung" (engl.: *best practice*), die zwar rechtliche Relevanz haben, aber nicht unmittelbar Rechte und Pflichten begründen. Sie befinden sich gleichsam in der „Grauzone zwischen unverbindlicher Proklamation und rechtsverbindlicher Festlegung".[19] Der Vorstand ist mithin nicht verpflichtet, diesen Empfehlungen Folge zu leisten. Allerdings kann *Soft Law* die Pflichten eines Geschäftsleiters nach § 93 Abs. 1 S. 1 AktG konkretisieren.[20]

Auf nationaler Ebene gehört zum *Soft Law*[21] zunächst der Deutsche Corporate Governance Kodex (DCGK),[22] dessen Verbindlichkeit für

---

[14]*Grigoleit/Tomasic*, in: *Grigoleit*, AktG, 2013, § 93, Rn. 5 ff.
[15]Vgl. § 705 BGB als allgemeines gesellschaftsrechtliches Prinzip.
[16]*Grigoleit/Tomasic*, in: *Grigoleit*, AktG, 2013, § 93, Rn. 5, m. w. N.
[17]Anderes kann je nach Ausgestaltung des Gesellschaftsvertrages für gemeinnützige und staatliche Unternehmen gelten, vgl. *Grigoleit/Tomasic*, in: *Grigoleit*, AktG, 2013, § 93, Rn. 6.
[18]Ganz h.M., vgl. nur BGH, Urteil vom 27.08.2010, Az.: 2 StR 111/09, in: NJW 2010, 3485 (3460), Rn. 29 und *Koch*, in: *Hüffer/Koch*, Aktiengesetz, 13. Aufl., 2018, § 93, Rn. 6 ff., m.w.N.; darüber hinaus sind auch sog. „nützliche Pflichtverletzungen", die zwar einen Gesetzesverstoß darstellen, aber im Interesse der AG oder zu ihrem Nutzen erfolgen, nicht erlaubt, vgl. BGH, Beschluss vom 13.09.2010, Az.: 1 StR 220/09, in: NJW 2011, 88 (92), Rn. 37.
[19]*Herdegen*, Völkerrecht, 18. Aufl., 2019, § 20, Nr. 3.
[20]*Fleischer*, in: *Spindler/Stilz*, AktG, 4. Aufl., 2019, § 93, Rn. 44.
[21]*Koch*, in: *Hüffer/Koch*, AktG, 13. Aufl., 2018, § 161 Rn. 3.
[22]Fassung vom 07.02.2017 abgedruckt in: BAnz. AT 24.04.2017 B2.

das Vorstandshandeln allerdings umstritten ist.[23] Zwar müssen Vorstand und Aufsichtsrat börsennotierter Unternehmen jährlich gem. § 161 Abs. 1 S. 1 AktG eine sog. „Entsprechenserklärung" abgeben,[24] in der sie erklären, „dass [dem DCGK] entsprochen wurde und wird oder welche Empfehlungen nicht angewendet wurden oder werden und warum nicht".[25] Allerdings stellt der DCGK schon aus zwei Gründen keine verbindlichen Regeln für den Vorstand auf, die zwingend zu befolgen wären:[26] Erstens besteht eine gesetzlich vorgesehene Möglichkeit, die Empfehlungen des DCGK nicht anzuwenden, und zweitens wird die den DCGK vorschlagende Kommission vom Bundesministerium der Justiz besetzt, sodass dem DCGK mangels Beteiligung des Parlaments die Gesetzesqualität fehlt.[27] Die Regelungen des DCGK sind daher vielmehr ein Ausdruck von Selbstverpflichtung, um Investoren und Geschäftspartnern entsprechende Signale über die Unternehmensorganisation zu senden.[28] Ungeachtet dessen ist es möglich, dass der DCGK im Einzelfall die Sorgfaltspflichten des Vorstandes konkretisiert.[29] Der AG ist es darüber hinaus unbenommen, die Empfehlungen des DCGK in die Satzung oder die Geschäftsordnung für den Vorstand aufzunehmen, um damit eine direkte Bindungswirkung (und Haftung) zu erzeugen.[30]

Auf internationaler Ebene können Verhaltensregeln internationaler Organisationen zum *Soft Law* gezählt werden, z. B. die *„Principles of*

---

[23] *Fleischer*, in: *Spindler/Stilz*, AktG, 4. Aufl., 2019, § 93, Rn. 46, m. w. N.

[24] *Waldzus/Behringer*, Best Practice bei der Einführung eines Verhaltenskodex, in: *Behringer*, Compliance kompakt, 3. Aufl., 2013, 327 (329).

[25] Sog. „comply or explain"-Ansatz; zur Entsprechenserklärung im Einzelnen vgl. *Lutter*, in: *Kremer et al.*, Deutscher Corporate Governance Kodex, 7. Aufl., 2018, Teil 4, Rn. 1844 ff.

[26] Allg. M.: *Goette*, in: *Goette et al.*, MüKo AktG, Bd. 3, 4. Aufl. 2018, § 161, Rn. 22; *Grigoleit/Zellner*, in: *Grigoleit*, AktG, 2013, § 161, Rn. 29; *Hölters*, in: *Hölters*, AktG, 3. Aufl., 2017, § 161, Rn. 3.

[27] Zur Einsetzung und Zusammensetzung der sog. „Kodexkommission" vgl. *von Werder*, in: *Kremer et al.*, Deutscher Corporate Governance Kodex, 7. Aufl., 2018, Teil 1, Rn. 9 ff.

[28] *Waldzus/Behringer*, Best Practice bei der Einführung eines Verhaltenskodex, in: *Behringer*, Compliance kompakt, 3. Aufl., 2013, 327 (330 f.).

[29] *Fleischer*, in: *Spindler/Stilz*, AktG, 4. Aufl., 2019, § 93, Rn. 47; *Hölters*, in: *Hölters*, AktG, 3. Aufl., 2017, § 93, Rn. 15.

[30] *Hölters*, in: *Hölters*, AktG, 3. Aufl., 2017, § 161, Rn. 42.

Corporate Governance"[31] der OECD sowie die sog. „Leitprinzipien für Wirtschaft und Menschenrechte"[32] der Vereinten Nationen, deren Nichtbeachtung zwar ebenfalls keine Vorstandshaftung auslöst, aber gegebenenfalls zu einem Reputationsverlust des Unternehmens führen und damit dem Gesellschaftsinteresse zuwiderlaufen kann.[33] Sofern entsprechende Anhaltspunkte im Einzelfall bestehen, kann auch hierdurch eine mittelbare Sorgfaltspflicht des Vorstandes begründet werden.

Schließlich ist fraglich, ob auch betriebswirtschaftliche Grundsätze ordnungsgemäßer Unternehmensführung oder -planung als Sorgfaltspflichten vom Vorstand einzuhalten sind, z. B. hinsichtlich der Befolgung von bestimmten Management- oder Organisationsmodellen.[34] Nach Ziffer 3.8 des DCGK soll der Vorstand etwa die „Regeln ordnungsgemäßer Unternehmensführung" beachten. Richtigerweise wird die Pflicht des Vorstandes zur Einhaltung bestimmter betriebswirtschaftlicher Grundsätze jedoch überwiegend abgelehnt.[35] Maßnahmen, die betriebswirtschaftlich praktikabel erscheinen, können nach § 93 Abs. 1 S. 1 AktG nicht zwangsläufig auch rechtlich verpflichtend sein. Regelmäßig wird das rechtlich erforderliche Maß hinter dem betriebswirtschaftlich erstrebenswerten Maß zurückbleiben, sodass ein Gleichlauf nur in Einzelfällen vorliegt.[36] Wenn betriebswirtschaftliche Grundsätze zur Konkretisierung von Sorgfaltspflichten herangezogen werden,[37] dann wird vorgeschlagen, dass diese zumindest in der Betriebswirtschaftslehre als gesichert gelten und sich in der Praxis

---

[31] *OECD*, Principles of Corporate Governance, 1999; die Prinzipien sind im Jahr 2004 und zuletzt im Jahr 2015 überarbeitet worden.
[32] *UN*, Guiding Principles on Business and Human Rights: Implementing the United Nations'Protect, Respect and Remedy' Framework, 2011; auch „Ruggie Principles", benannt nach dem zu ihrer Erstellung berufenen UN-Sonderbeauftragten *John Gerard Ruggie*.
[33] *Fleischer*, in: *Spindler/Stilz*, AktG, 4. Aufl., 2019, § 93, Rn. 44.
[34] *Spindler*, in: *Goette et al.*, MüKo AktG, Bd. 2, 5. Aufl., 2019, § 93, Rn. 37.
[35] *Koch*, in: *Hüffer/Koch*, Aktiengesetz, 13. Aufl., 2018, § 90, Rn. 4a; *Spindler*, in: *Goette et al.*, MüKo AktG, Bd. 2, 5. Aufl., 2019, § 90, Rn. 18; für die Unternehmensplanung stellt *Kropff* fest, dass die Pflicht dazu von den besonderen Verhältnissen des Unternehmens abhängig ist: *Kropff*, Die Unternehmensplanung im Aufsichtsrat, NZG 1998, 613 (613).
[36] *Fleischer*, in: *Spindler/Stilz*, AktG, 4. Aufl., 2019, § 93, Rn. 50.
[37] *Spindler*, in: *Goette et al.*, MüKo AktG, Bd. 2, 5. Aufl., 2019, § 90, Rn. 18.

bewährt haben müssen.[38] Umgekehrt kann sich der Vorstand nicht freizeichnen, wenn er ein bestimmtes betriebswirtschaftliches Modell befolgt.[39] Folglich steht dem Vorstand bei der Wahl betriebswirtschaftlicher Modelle auf dem Boden der *Business Judgement Rule* (siehe sogleich) grundsätzlich ein Ermessen zu, das durch betriebswirtschaftliche Grundsätze nicht eingeschränkt, wohl aber unter Umständen konkretisiert werden kann.

3.1.2 Verantwortlichkeit

Der in § 93 Abs. 1 S. 2 AktG enthaltene Verhaltensmaßstab spiegelt die dem US-amerikanischen Gesellschaftsrecht entstammende *Business Judgement Rule* wider. Nach diesem ursprünglichen Vorbild soll die *Business Judgement Rule* das haftungsrelevante Verhalten von Geschäftsleitern in gerichtlich überprüfbare und nicht gerichtlich überprüfbare – weil innerhalb der Unternehmensinteressen getroffene – Entscheidungen trennen.[40] In einem von Chancen und Risiken geprägten Markt benötigt der Vorstand einen gewissen Freiraum, um unternehmerische Entscheidungen zu treffen, weil diese Entscheidungen weniger von sicheren Erkenntnissen als vielmehr von unsicheren Prognosen ausgehen.[41] Müsste der Vorstand stets befürchten, wegen „falscher" – d. h. von seiner Prognoseentscheidung abweichender – Ergebnisse zur Rechenschaft gezogen zu werden, so würde sich zum einen vermutlich niemand mehr für diese Position finden lassen, und zum anderen wäre „unternehmerisches Handeln schlechterdings

---

[38] *Fleischer*, in: *Spindler/Stilz*, AktG, 4. Aufl., 2019, § 93, Rn. 50.
[39] Wohl h.M., vgl. nur: *Spindler*, in: *Goette et al.*, MüKo AktG, Bd. 2, 5. Aufl., 2019, § 93, Rn. 37, m. w. N.
[40] Kritisch wird in der US-amerikanischen Literatur die unflexible Aufspaltung und fehlende Berücksichtigung der materiellen Sinnhaftigkeit einer Vorstandsentscheidung gesehen: *Rosenberg*, Galactic Stupidity and the Business Judgement Rule, JCL 2007, 301 (303); s. auch zu weitreichenden Ausnahmen in der Rechtsprechung: *Jenkins*, The Decline and Fall of the Business Judgement Rule, 17 Corp. Gov. Advisor 3, 2009, 1.
[41] *Spindler*, in: *Goette et al.*, MüKo AktG, Bd. 2, 5. Aufl. 2019, § 93, Rn. 43.

nicht denkbar".⁴² Die Tatsache, dass die Folgen einer Prognoseentscheidung nicht quantifizierbar sind, belegt schließlich den Bedarf eines unternehmerischen Handlungsspielraums.⁴³ Dieses Bedürfnis ist im Aktienrecht schon lange anerkannt und wurde infolge der Rechtsprechung des BGH im Fall „ARAG/Garmenbeck"⁴⁴ vom Gesetzgeber mit dem Gesetz zur Unternehmensintegrität und Modernisierung des Anfechtungsgesetzes (UMAG) als *Business Judgement Rule* in das Aktiengesetz aufgenommen.⁴⁵

Die fünf Voraussetzungen des § 93 Abs. 1 S. 2 AktG lauten im Einzelnen:⁴⁶

3.1.2.1 Vorliegen einer unternehmerischen Entscheidung

Nach der Gesetzesbegründung zum UMAG sind „unternehmerische Entscheidungen […] infolge ihrer Zukunftsbezogenheit durch Prognosen und nicht justiziable Einschätzungen geprägt".⁴⁷ Kennzeichnend ist mithin eine gewisse Unsicherheit und ein gewisses Risiko hinsichtlich des Erfolges bzw. des Fehlgehens der Entscheidung.⁴⁸ Eine unternehmerische Entscheidung ist damit nach Gesichtspunkten der Zweckmäßigkeit zu treffen.⁴⁹ Schon dem Wortsinn nach sind nur solche Maßnahmen betroffen, die mindestens zwei Optionen zur

---

⁴²BGH, Urteil vom 21.04.1997, Az.: II ZR 175/95, in: NJW 1997, 1926 (1927).
⁴³*Grigoleit/Tomasic,* in: *Grigoleit,* AktG, 2013, § 93, Rn. 28.
⁴⁴BGH, Urteil vom 21.04.1997, Az.: II ZR 175/95, in: NJW 1997, 1926 ff.
⁴⁵*Dauner-Lieb,* in: *Henssler/Strohn,* Gesellschaftsrecht, 4. Aufl., 2019, § 93 AktG, Rn. 17 f.; *Fleischer,* Aktuelle Entwicklungen der Managerhaftung, NJW 2009, 2337 (2338); *Passarge,* in: *Graewe,* Wirtschaftsrecht, 2. Aufl., 2019, 225.
⁴⁶Vgl. *Grigoleit/Tomasic,* in: *Grigoleit,* AktG, 2013, § 93, Rn. 30 ff.; *Krieger/Sailer-Coceani,* in: *Schmidt/Lutter,* AktG, Bd. 1, 3. Aufl., 2015, § 93 Rn. 13; *Passarge,* in: *Graewe,* Wirtschaftsrecht, 2. Aufl., 2019, 226 ff.
⁴⁷Begründung des Regierungsentwurfs zum UMAG, BT-Drs. 15/5092, 11.
⁴⁸*Spindler,* in: *Goette et al.,* MüKo AktG, Bd. 2, 5. Aufl. 2019, § 93, Rn. 48.
⁴⁹*Krieger/Sailer Coceani,* in: *Schmidt/Lutter,* AktG, Bd. 1, 3. Aufl., 2015, § 93 Rn. 15.

Entscheidung zulassen, sodass eine Option auch in einem Unterlassen bestehen kann.[50]

Abzugrenzen ist die unternehmerische Entscheidung von Pflichtaufgaben des Vorstandes (sog. „rechtlich gebundene Entscheidungen"),[51] die dem Vorstandsmitglied keinen Beurteilungsspielraum eröffnen und somit nicht der *Business Judgement Rule* unterfallen.[52]

3.1.2.2 Bewusste Entscheidung in gutem Glauben

Der Vorstand muss zudem bewusst gehandelt haben, sodass das bloße Unterlassen bei Unkenntnis der Umstände mangels entsprechenden Bewusstseins keine Entscheidung für das Nichtstun darstellt.[53] In gutem Glauben ist die Entscheidung dann getroffen worden, wenn der Vorstand davon ausgehen durfte, dass seine Entscheidung „richtig" ist, mithin die Interessen der AG fördert.[54]

3.1.2.3 Entscheidung auf angemessener Informationsgrundlage

Drittens muss der Vorstand objektiv „auf der Grundlage angemessener Information" gehandelt haben, deren Richtigkeit er subjektiv „vernünftigerweise annehmen durfte". Dazu muss der Vorstand in Anbetracht der verfügbaren Zeit und unter Abwägung von Kosten und Nutzen sämtliche Informationen einholen, die ein ordentlicher Geschäftsleiter in der Situation des Vorstandes *ex-ante*, d. h. unmittelbar vor der Entscheidung, einholen würde.[55] Der Vorstand muss damit

---

[50]*Mertens/Cahn*, in: *Zöllner/Noack*, Kölner Kommentar zum AktG, 3. Aufl., 2010, Bd. 2/1, § 93, Rn. 23.
[51]A. a. O., Rn. 17.
[52]*Fleischer*, in: *Spindler/Stilz*, AktG, 4. Aufl., 2019, § 93, Rn. 67.
[53]*Grigoleit/Tomasic*, in: *Grigoleit*, AktG, 2013, § 93, Rn. 32.
[54]*Fleischer*, in: *Spindler/Stilz*, AktG, 4. Aufl., 2019, § 93, Rn. 76; *Grigoleit/Tomasic*, in: *Grigoleit*, AktG, 2013, § 93, Rn. 32.
[55]*Krieger/Sailer-Coceani*, in: *Schmidt/Lutter*, AktG, Bd. 1, 3. Aufl., 2015, § 93 Rn. 17.

nicht jede erdenkliche Informationsquelle erschöpfen, aber eine hinreichende Tatsachengrundlage für seine Entscheidung schaffen.[56] Der Vorstand kann die Einholung der Informationen sachlich innerhalb des Vorstandes nach Ressorts aufteilen oder z. B. auf einen Berichterstatter innerhalb des Vorstandes oder innerhalb der AG auf untere Ebenen delegieren. Sofern der Vorstand davon Gebrauch macht, ist er jedoch verpflichtet, die ihm zuarbeitenden Entscheidungsträger sorgfältig auszuwählen, einzuweisen, zu informieren und zu überwachen.[57] Bei fehlender eigener Sachkunde muss sich der Vorstand von externen oder internen Fachleuten beraten lassen.[58] Auf deren Beratung darf sich der Vorstand allerdings nur dann verlassen, wenn er sich „unter umfassender Darstellung der Verhältnisse der Gesellschaft und Offenlegung der erforderlichen Unterlagen von einem unabhängigen, für die zu klärende Frage fachlich qualifizierten Berufsträger beraten lässt und die erteilte Rechtsauskunft einer sorgfältigen Plausibilitätskontrolle unterzieht".[59] Unterlässt der Vorstand beispielsweise die Plausibilitätskontrolle oder nimmt diese fehlerhaft vor, kann er sich durch die Einschaltung von Beratern nicht exkulpieren.[60]

3.1.2.4 Handeln zum Wohle der Gesellschaft

Der Vorstand handelt zum Wohle der Gesellschaft, wenn er aus einer *ex-ante* Perspektive „vernünftigerweise annehmen durfte", dass die Handlung dem Bestand und der dauerhaften Rentabilität des Unternehmens dient.[61] Nach der Gesetzesbegründung ist dies jedenfalls

---

[56] *Spindler*, in: *Goette et al.*, MüKo AktG, Bd. 2, 5. Aufl. 2019, § 93, Rn. 57; a. A. wohl BGH, Urteil vom 18.06.2013, Az.: II ZR 86/11, in: NZG 2013, 1021 (1023), Rn. 30, wonach durch den GmbH-Geschäftsführer „alle verfügbaren Informationsquellen tatsächlicher und rechtlicher Art" ausgeschöpft werden müssen.
[57] BGH, Urteil vom 07.11.1994, Az.: II ZR 270/93, in: NJW 1995, 326 (329).
[58] BGH, Urteil vom 06.06.1994, Az.: II ZR 292/91, in: NJW 1994, 2220 (2224).
[59] BGH, Urteil vom 20.09.2011, Az.: II ZR 234/09, in: NJW-RR 2011, 1670 (1672); zur sog. „ISION"-Rspr. und den konkreten Anforderungen an externen Rechtsrat vgl. außerdem *Merkt/Mylich*, Einlage eigener Aktien und Rechtsrat durch den Aufsichtsrat, NZG 2012, 525 (528).
[60] *Loritz/Wagner*, Haftung von Vorständen und Aufsichtsräten, DStR 2012, 2189 (2192).
[61] *Dauner-Lieb*, in: *Henssler/Strohn*, Gesellschaftsrecht, 4. Aufl., 2019, § 93 AktG, Rn. 23;.

dann der Fall, wenn das Handeln „der langfristigen Ertragsstärkung und Wettbewerbsfähigkeit des Unternehmens und seiner Produkte oder Dienstleistungen dient".[62] Das Wohl der Gesellschaft meint damit grundsätzlich das Unternehmensinteresse.[63]

3.1.2.5 Keine Interessenkonflikte

Nach wohl herrschender Meinung[64] und ausweislich der Gesetzesbegründung[65] erfordert die Anwendbarkeit der *Business Judgement Rule* als fünftes – ungeschriebenes[66] – Merkmal, dass der Vorstand keine Sonderinteressen verfolgt oder ihn sachfremde Einflüsse zur Handlung motivieren; der Vorstand muss mithin frei von Interessenkonflikten sein.[67] Handelt ein Vorstandsmitglied ausschließlich im eigenen Interesse oder im Interesse ihm nahestehender Personen oder Gesellschaften,[68] so wird ein solcher Interessenkonflikt anzunehmen sein.[69] Die Anerkennung bzw. Festlegung einer teilweise geforderten Erheblichkeitsschwelle, um Bagatellfälle auszuscheiden, bleibt der Bewertung des Richters im Einzelfall überlassen.[70] Die bloße Offenlegung eines Konflikts, zu der das Vorstandsmitglied wegen der ihm

---

[62]Begründung des Regierungsentwurfs zum UMAG, BT-Drs. 15/5092, 11.
[63]*Mertens/Cahn*, in: *Zöllner/Noack*, Kölner Kommentar zum AktG, 3. Aufl., 2010, Bd. 2/1, § 93, Rn. 24.
[64]Vgl. *Fleischer*, in: *Spindler/Stilz*, AktG, 4. Aufl., 2019, § 93, Rn. 66; kritisch jedoch: *Krieger/ Sailer-Coceani*, in: *Schmidt/Lutter*, AktG, Bd. 1, 3. Aufl., 2015, § 93 Rn. 13.
[65]Begründung des Regierungsentwurfs zum UMAG, BT-Drs. 15/5092, 11.
[66]Nach Ansicht des Gesetzgebers ergebe sich dies implizit aus den Wörtern „annehmen durfte", vgl. Begründung des Regierungsentwurfs zum UMAG, BT-Drs. 15/5092, 11.
[67]*Dauner-Lieb*, in: *Henssler/Strohn*, Gesellschaftsrecht, 4. Aufl., 2019, § 93 AktG, Rn. 24.
[68]Begrifflich kann eine Definition z. B. § 138 Abs. 1 InsO entnommen werden; vgl. auch *Koch*, in: *Hüffer/Koch*, Aktiengesetz, 13. Aufl., 2018, § 93, Rn. 25.
[69]Für eine Ausnahme bei Gleichlauf der eigenen Interessen des Vorstandsmitglieds und der Unternehmensinteressen: *Dauner-Lieb*, in: *Henssler/Strohn*, Gesellschaftsrecht, 4. Aufl., 2019, § 93 AktG, Rn. 24, m.w.N. und *Mertens/Cahn*, in: *Zöllner/Noack*, Kölner Kommentar zum AktG, 3. Aufl., 2010, Bd. 2/1, § 93, Rn. 26; so wohl auch die Begründung des Regierungsentwurfs zum UMAG, BT-Drs. 15/5092, 11.
[70]*Bachmann*, in: *Kremer et al.*, Deutscher Corporate Governance Kodex, 7. Aufl., 2018, Teil 3, Rn. 1100a; *Hüffer/Koch*, Aktiengesetz, 13. Aufl., 2018, § 93, Rn. 25, m.w.N.

obliegenden organschaftlichen Treuepflicht ohnehin verpflichtet ist,[71] bewirkt keine Exkulpierung.[72]

3.1.2.6 Rechtsfolgen

Soweit der Vorstand bei seinen Entscheidungen aus einer *ex-ante*-Perspektive innerhalb der vorgenannten Tatbestandsvoraussetzungen des § 93 Abs. 1 S. 2 AktG handelt, wird die Rechtmäßigkeit seines Handelns vermutet.[73] Eine zur haftungsrelevanten Verantwortlichkeit führende Pflichtverletzung des Vorstandes liegt dann nicht vor.[74] Nach der Rechtsprechung des BGH steht dem Vorstand ein weiter Handlungsspielraum zu.[75] Eine Haftung kommt nur bei schlechterdings unvertretbaren Entscheidungen in Betracht, z. B. bei einer deutlichen Überschreitung der aus dem Unternehmenswohl ableitbaren Grenzen oder einer unverantwortlichen Risikoübernahme.[76] Die *Business Judgement Rule* zeigt dem Vorstand mithin ein Szenario auf, innerhalb dessen er eine Pflichtverletzung nicht zu befürchten braucht; er befindet sich gleichsam in einem „sicheren Hafen" (*„safe harbour"*).[77] Die jüngste Rechtsprechung des BGH hat dazu beigetragen, dass der dem Vorstand beigemessene unternehmerische Handlungsspielraum im Grundsatz weit auszulegen ist. Dem Vorstand ist damit – abgesehen von krassen Einzelfällen – eine nahezu nicht überprüfbare und damit uneingeschränkte Leitung der AG möglich.

---

[71] *Hüffer/Koch*, Aktiengesetz, 13. Aufl., 2018, § 93, Rn. 26; *Fleischer*, in: *Spindler/Stilz*, AktG, 4. Aufl., 2019, § 93, Rn. 72a; vgl. auch Ziffer 4.3.3 DCGK.
[72] *Dauner-Lieb*, in: *Henssler/Strohn*, Gesellschaftsrecht, 4. Aufl., 2019, § 93 AktG, Rn. 24, m. w. N.
[73] *Paefgen*, Die Darlegungs- und Beweislast bei der Business Judgement Rule, NZG 2009, 891 (892); ohne tatsächlich Auswirkungen auf die haftungsbeschränkende Anwendung der Norm zu haben, ist ihre dogmatische Wirkung umstr., vgl. *Spindler*, in: *Goette et al.*, MüKo AktG, Bd. 2, 5. Aufl. 2019, § 93, Rn. 46, m.w.N.
[74] *Bayer*, Vorstandshaftung in der AG de lege lata und de lege ferenda, NJW 2014, 2546 (2547); *Krieger/Sailer-Coceani*, in: *Schmidt/Lutter*, AktG, Bd. 1, 3. Aufl., 2015, § 93, Rn. 14.
[75] BGH, Urteil vom 21.04.1997, Az.: II ZR 175/95, in: NJW 1997, 1926.
[76] *Krieger/Sailer-Coceani*, in: *Schmidt/Lutter*, AktG, Bd. 1, 3. Aufl., 2015, § 93, Rn. 18 a.E.
[77] *Hölters*, in: *Hölters*, AktG, 3. Aufl., 2017, § 93, Rn. 29.

Eine pflichtwidrige Entscheidung nimmt der BGH in ständiger Rechtsprechung allerdings z. B. an, wenn Darlehen ohne Stellung von zuvor vereinbarten Sicherheiten ausgezahlt werden;[78] grundsätzlich bedarf die Kreditvergabe der Stellung von Sicherheiten und einer angemessenen Risikoabschätzung.[79] Außerdem müssen Exportgeschäfte ins Ausland mit den üblichen Sicherheiten abgesichert werden.[80] Stimmt der Vorstand einer für die AG nachteiligen Vertragsgestaltung zu, so macht er sich schadensersatzpflichtig.[81] Gleiches gilt für Investitionen ohne hinreichende Aussicht auf Erfolg.[82] Ob und inwieweit der *Brexit* zu Verantwortlichkeiten des Vorstandes führt, wird sogleich betrachtet.

Ihr Transfer in die Praxis

- Das Handeln des Vorstandes wird maßgeblich durch die sich aus § 93 Abs. 1 S. 1 AktG ergebenden Sorgfaltspflichten bestimmt.
- Die konkrete Ausformung der Sorgfaltspflichten ist im Einzelfall zu bestimmen und von mehreren Faktoren, wie insbesondere Art und Größe des Unternehmens sowie der gesamtwirtschaftlichen Lage, abhängig.
- Abseits kodifizierter Sorgfaltspflichten stehendes *Soft Law,* wie z. B. der DCGK, kann allenfalls zur Konkretisierung der sich bereits aus § 93 Abs. 1 S. 1 AktG ergebenden Pflichten herangezogen werden; eigene Pflichten werden dadurch jedoch mangels Gesetzesqualität nicht begründet.
- Handelt der Vorstand innerhalb der Grenzen der in § 93 Abs. 1 S. 2 AktG normierten *Business Judgement Rule,* kann er sich von einer Haftung freizeichnen. Insoweit entfällt dann bereits eine Pflichtverletzung des Vorstandes. Kennzeichnendes und wesentliches Merkmal ist das Treffen einer unternehmerischen Entscheidung.

---

[78]BGH, Urteil vom 21.04.1997, Az.: II ZR 175/95, in: NJW 1997, 1926 ff. und zuvor OLG Düsseldorf, Urteil vom 28.11.1996, Az.: 6 U 11/95, in: BeckRS 1997, 00514, Rn. 84.
[79]BGH, Urteil vom 03.12.2001, Az.: II ZR 308/99, in: NZG 2002, 195 (196).
[80]OLG Jena, Urteil vom 08.08.2000, Az.: 8 U 1387/98, in: NZG 2001, 86 (87 f.).
[81]BGH, Urteil vom 14.02.1985, Az.: IX ZR 145/83, in: BeckRS 9998, 100723.
[82]BGH, Urteil vom 04.07.1977, Az.: II ZR 150/75, in: NJW 1977, 2311 (2312).

3.2 Sorgfaltspflichten und Verantwortlichkeit des Vorstandes beim Brexit

Nachdem oben die allgemeinen Sorgfaltspflichten und Verantwortlichkeiten des Vorstandes dargestellt wurden, werden diese nachfolgend in den Kontext des *Brexit* eingepasst. Fraglich ist zunächst, inwieweit dem Vorstand – als geschäftsführendem Organ der Aktiengesellschaft[83] – Sorgfaltspflichten in Bezug auf den *Brexit* bzw. dessen Auswirkungen zum Ende des Übergangszeitraums zukommen. Dies insbesondere vor dem Hintergrund, dass – wie bereits festgestellt wurde – Verträge zwischen deutschen und britischen Unternehmen allein durch den *Brexit* weder kündbar, noch auf andere Art und Weise beendet oder angepasst werden können.[84] In einem zweiten Schritt wird sodann die Verantwortlichkeit des Vorstandes beim *Brexit* bestimmt werden müssen: Eine Pflichtverletzung kann sich möglicherweise durch das Unterlassen einer erforderlichen Anpassung bzw. einer antizipierten Beendigung von Verträgen ergeben oder aber durch das Eingreifen der *Business Judgement Rule* ausgeschlossen sein.

3.2.1 Sorgfaltspflichten

Die Sorgfaltspflichten eines Vorstandsmitglieds nach § 93 Abs. 1 S. 1 AktG sind nicht immer gleich, sondern von verschiedenen Faktoren abhängig.[85] In Bezug auf den *Brexit* können die Sorgfaltspflichten des Vorstandes folglich in sachlicher *(ratione materiae)*, zeitlicher *(ratione temporis)* und personeller Hinsicht *(ratione personae)* variieren. Die Kontrollfrage lautet stets: Wie hätte sich ein ordentlicher und gewissenhafter Geschäftsleiter eines Unternehmens vergleichbarer Art und Größe in der konkreten Situation verhalten?[86]

---

[83]Vgl. § 76 Abs. 1 AktG.
[84]S. o. 2.3.
[85]S. o. 3.1.1.1.
[86]Vgl. *Dauner-Lieb,* in: *Henssler/Strohn,* Gesellschaftsrecht, 4. Aufl., 2019, § 93 AktG, Rn. 7.

3.2.1.1 Sorgfaltspflichten in sachlicher Hinsicht

In sachlicher Hinsicht können die Sorgfaltspflichten des Vorstandes beim *Brexit* u. a. von der Branche der betroffenen AG sowie von ihrer Art und Größe abhängen.[87] Außerdem kann die betriebswirtschaftliche und finanzielle Situation einer AG die Sorgfaltspflichten ihres Vorstandes bestimmen.[88] Da der *Brexit* bzw. seine Auswirkungen potentiell jedoch jedes Unternehmen mit Berührungspunkten zum Vereinigten Königreich, unabhängig von seiner Branche, Art und Größe oder wirtschaftlichen Lage, betreffen können, gebieten es die Sorgfaltsanforderungen an den Vorstand, dass dieser in einem ersten Schritt zumindest herausfindet bzw. herausfinden lässt,[89] wie viele und – viel wichtiger – mit welchem Volumen Geschäftsbeziehungen zwischen der von ihm geleiteten AG und Unternehmen im Vereinigten Königreich bestehen. Dies kann einerseits – und vermutlich im Wesentlichen – Verträge zwischen Unternehmen betreffen. Andererseits können aber auch nach britischem Recht in der Rechtsform der *Limited Company* gegründete oder erworbene Tochtergesellschaften einer deutschen AG betroffen sein,[90] deren Haftungsbeschränkung mit dem *Brexit* entfallen würde und so eine unmittelbare Haftung der AG begründen könnte.[91] Sofern solche Verträge bestehen, ist auch der Sinn und Zweck dieses Vertrages im Lichte der gesamten Unternehmensorganisation zu betrachten. Dabei können vermeintlich „kleine" Verträge identifiziert werden, die aber z. B. als Zuliefererverträge für nicht substituierbare Rohstoffe von wesentlicher Bedeutung für den Gesamterfolg des Unternehmens sind.

---

[87] *Fleischer*, in: *Spindler/Stilz*, AktG, 4. Aufl., 2019, § 93, Rn. 41; *Spindler*, in: *Goette et al.*, MüKo AktG, Bd. 2, 5. Aufl. 2019, § 93, Rn. 25.
[88] OLG Jena, Urteil vom 08.08.2000, Az.: 8 U 1387/98, in: NZG 2001, 86 (87).
[89] Zur Enthaftung bei der Delegation von Leitungsaufgaben vgl. *Krieger/Sailer-Coceani*, in: *Schmidt/Lutter*, AktG, Bd. 1, 3. Aufl., 2015, § 93 Rn. 32.
[90] Zu den Sorgfaltspflichten des Vorstands beim Unternehmenskauf, vgl. *Heer*, Sorgfaltspflichten der Geschäftsleitung vor dem Hintergrund beschränkter Verkäuferhaftung in Unternehmenskaufverträgen, GWR 2018, 125 (130 ff.).
[91] S. o. 2.2.2.3.

Je stärker sich die infolge des ersten Schritts und aus einer *ex-ante*-Perspektive vernünftigerweise anzunehmende Betroffenheit der AG durch den *Brexit* darstellt, desto intensiver muss ein ordentlicher und gewissenhafter Vorstand in einem zweiten Schritt die identifizierten Geschäftsbeziehungen auf eine tatsächliche Betroffenheit untersuchen. Dies ergibt sich grundsätzlich bereits daraus, dass der Vorstand Treuhänder fremder Vermögensinteressen ist[92] und der Förderung des Unternehmenszwecks sowie der Gewinnerzielung verpflichtet ist.[93] Die dabei vom Vorstand anzuwendende Sorgfalt kann dann hinsichtlich Branche, Art und Größe des Unternehmens differieren: Hat eine AG beispielsweise nur zu einem geringen Anteil Lieferverträge mit Unternehmen im Vereinigten Königreich geschlossen und betreibt schwerpunktmäßig Geschäfte innerhalb Deutschlands, so ist ihre Betroffenheit durch den *Brexit* ungleich geringer als beispielsweise die einer anderen AG, deren Unternehmensgegenstand der grenzüberschreitende Handel mit Waren oder Dienstleistungen zwischen Deutschland und dem Vereinigten Königreich ist. Letztere AG wird bei Beschaffung und Absatz von Waren und Dienstleistungen Zöllen und anderen nicht-tarifären Handelshemmnissen ausgesetzt sein, die die Geschäftsbeziehung im Ergebnis verteuern und verzögern werden. In stärkerem Maße betroffen ist auch eine AG, die sich selbst oder ihr Geschäft maßgeblich über Kreditverträge mit britischen Banken finanziert, weil die Durchführung dieser Kreditverträge bei einem „harten *Brexit*" nach Ablauf des Übergangszeitraums infolge des Wegfalls der Kapitalverkehrsfreiheit mit Abzügen bzw. Kosten bei der Auszahlung verbunden sein könnte. Schließlich dürfte eine AG, die in der Im- und Export Branche tätig ist und deren Unternehmensgegenstand beispielsweise im Anbieten von Transportdienstleistungen über den Ärmelkanal besteht,[94] ebenfalls stärker von den Auswirkungen des *Brexit* betroffen sein als Transportdienstleister mit Transportwegen auf

---

[92] *Spindler*, in: *Goette et al.*, MüKo AktG, Bd. 2, 5. Aufl. 2019, § 93, Rn. 25.
[93] *Grigoleit/Tomasic*, in: *Grigoleit*, AktG, 2013, § 93, Rn. 5 ff.
[94] Zur Bindung des Vorstandes an Gesellschaftszweck und Unternehmensgegenstand vgl. *Wiesner*, in: *Hoffmann-Becking*, MHdB GesR, 4. Aufl., 2015, Bd. 4, 5. Kapitel, § 25, Rn. 25.

dem europäischen Kontinent. Folglich hängen die Sorgfaltspflichten vom Risikoeinschlag des *Brexit* ab,[95] d. h. vom Umfang der durch den *Brexit* betroffenen Geschäftsbeziehungen und ihres wirtschaftlichen Einschlages. Es mag mithin wirtschaftlich zweckmäßig erscheinen, einzelne unbedeutende Geschäftsbeziehungen unterhalb einer gewissen Bagatellgrenze auszuscheiden, um die Gesellschaft nicht mit internen Prüfungen zu überfrachten oder Kosten für externe Prüfungen zu vermeiden, die selbst bei der Identifizierung einer tatsächlichen Betroffenheit das möglicherweise verhinderte Risikoszenario nicht wirtschaftlich aufzuwiegen vermögen. Eine dementsprechende Anwendung der Sorgfalt durch den Vorstand ist selbstverständlich auch im Lichte der wirtschaftlichen und finanziellen Situation des Unternehmens zu betrachten, die es wiederum gebieten kann, jede Geschäftsbeziehung zu überprüfen.

Wurden nach dem Vorgenannten für den Unternehmensgegenstand und die Gewinnerzielung der AG wesentliche Geschäftsbeziehungen identifiziert, so muss der Vorstand in einem dritten Schritt die von einem *Brexit* nachteilig für die AG betroffenen Verträge entsprechend bearbeiten, um Schaden von der AG abzuwenden. Dazu kann beispielsweise die Nachverhandlung oder Kündigung von Verträgen zum nächstmöglichen Zeitpunkt zählen; EU-bezogene Definitionen müssen ggf. angepasst werden; Lizenzen, Patente und andere Rechte geistigen Eigentums müssen ggf. erneut und parallel zur EU auch im Vereinigten Königreich selbst beantragt und gesichert werden. Bei der Aufnahme neuer Geschäftsbeziehungen mit Unternehmen im Vereinigten Königreich, die eine Betroffenheit durch den *Brexit* bzw. das Ende des Übergangszeitraums vernünftigerweise erwarten lassen, muss der Vorstand geeignete vertragliche Maßnahmen treffen (lassen) um dieser Betroffenheit vorzubeugen; hier würden beispielsweise spezielle MAC-Klauseln[96] eingesetzt werden können, die diese Ereignisse als sog. „*material adverse events*" ausdrücklich definieren und bei Eintritt eine Loslösung vom

---

[95]Für gesteigerte Sorgfaltspflichten bei erhöhter Risikoträchtigkeit und in Krisensituationen: *Krieger/Sailer-Coceani*, in: *Schmidt/Lutter*, AktG, Bd. 1, 3. Aufl., 2015, § 93 Rn. 32 a.E.
[96]S.o. 2.3.2.4.

Vertrag ermöglichen. Bei Verträgen, deren Durchsetzbarkeit sich die AG auch nach einem *Brexit* sichern möchte, wäre durch geeignete Schiedsgerichtsklauseln oder die Vereinbarung eines deutschen Gerichtsstandes eine Entkoppelung von britischen Gerichten ratsam, weil diese nach einem *Brexit* bei ihrer Entscheidungsfindung nicht mehr an die Rechtsprechung des EuGH und das Recht der EU gebunden wären.

3.2.1.2 Sorgfaltspflichten in zeitlicher Hinsicht

Die Sorgfaltspflichten des Vorstandes können sich auch nach den Zeitverhältnissen bestimmen.[97] Dies ist beim *Brexit* umso bedeutsamer, da der *Brexit* – anders als etwa bilaterale Beziehungen zwischen Geschäftspartnern – nicht durch das eigene Verhalten und Handeln der AG beeinflusst werden konnte und kann, d. h. die Zeitverhältnisse können nicht durch die AG beeinflusst werden. Der *Brexit* stellt vielmehr eine von außen auf die inneren Verhältnisse der AG wirkende Bedrohung dar, auf die der Vorstand der AG ausschließlich in Abhängigkeit von den weiter oben dargestellten zeitlichen Meilensteinen reagieren muss oder versuchen kann, diese zu antizipieren.[98] Eine Beeinflussung des *Brexit* selbst ist durch unternehmerisches Handeln nicht möglich.

Je näher die tatsächlichen Auswirkungen des *Brexit* (d. h. das Ende des Übergangszeitraums) rücken, desto größer müssen die Anstrengungen sein, die der Vorstand unternimmt, um die Betroffenheit der AG und ihrer Geschäftsbeziehungen durch den *Brexit* zu verhindern oder wenigstens abzumildern. Ein besonders hohes Maß an Sorgfaltspflichten dürfte für den Fall gelten, dass am Ende des Übergangszeitraums ein „harter *Brexit*", als die Art des EU-Austritts mit den am wenigsten abschätzbaren und einschneidendsten Folgen, immer wahrscheinlicher seinen Niederschlag finden wird. Bei drohenden Änderungen des wirtschaftlichen Umfelds ist es die Aufgabe des

---

[97] *Spindler*, in: *Goette et al.*, MüKo AktG, Bd. 2, 5. Aufl. 2019, § 93, Rn. 25; insbesondere zur weltweiten Finanzkrise ab 2007, vgl. *Böttcher*, Bankenvorstandshaftung im Rahmen der Sub-Prime Krise, NZG 2009, 1047 (1050).
[98] S. o. 2.1.

Vorstandes, die AG in eine Lage zu versetzen, in der sie diesen Änderungen standhalten und gewissermaßen „überleben" wird. Denn der Vorstand ist auf das Unternehmenswohl verpflichtet, d. h. auf Erreichung des Unternehmensgegenstandes und die Gewinnerzielung.

Als Premierminister *Cameron* im Jahr 2012 öffentlich über eine Volksbefragung zum Austritt des Vereinigten Königreichs aus der EU nachdachte, war es sicher noch verfrüht für einen Geschäftsleiter eines (möglicherweise) betroffenen Unternehmens, einen *Brexit* anzunehmen.[99] Als Mitte 2015 ein Gesetz in das Unterhaus eingebracht wurde, dessen Zweck es war, ein Referendum über den Austritt herbeizuführen, und dieses Gesetz am 14. Dezember 2015 auch vom Oberhaus verabschiedet wurde, bestand eine 50/50-Chance, dass das Vereinigte Königreich die EU verlassen würde: „*Leave or remain*" waren die beiden im Gesetz zum Referendum vorgesehenen Möglichkeiten zur Abstimmung. *Ex-ante* betrachtet,[100] war es nur noch eine Frage der Zeit, wann ein Referendum stattfinden würde. Zu diesem Zeitpunkt im Dezember 2015 hätte ein ordentlicher und gewissenhafter Vorstand einer (möglicherweise) betroffenen AG zur Erfüllung der ihm obliegenden besonderen Sorgfaltspflichten Untersuchungen darüber anstellen müssen, ob bestehende Geschäftsbeziehungen von einem etwaigen *Brexit* betroffen sein würden. Die Möglichkeit des *Brexit* im Sinn, hätte der Vorstand ab der Feststellung des Termins zum *Brexit*-Referendum, d. h. ab dem 20. Februar 2016, keine Verträge mehr abschließen (lassen) dürfen, die von einem *Brexit* betroffen sein würden. Umgekehrt positiv formuliert: Geschäftsbeziehungen mit Unternehmen im Vereinigten Königreich hätten geeignete Klauseln enthalten müssen, die eine Loslösung vom Vertrag (bei für die AG nachteiligen Verträgen) bzw. eine Durchsetzung des Vertrages bei gleichbleibenden Bedingungen (bei für die AG vorteilhaften Verträgen) ermöglicht hätten.

Nachdem die Bevölkerung des Vereinigten Königreichs am 23. Juni 2016 mehrheitlich für den Austritt aus der EU votierte, hätte der

---

[99]Für eine detaillierte historische Darstellung, s. o. 2.1.
[100]*Spindler,* in: *Goette et al.,* MüKo AktG, Bd. 2, 5. Aufl. 2019, § 93, Rn. 77.

Vorstand aus seiner *ex-ante* Perspektive unmittelbar Maßnahmen für einen ungeregelten, „harten *Brexit*" ergreifen müssen: Bestehende Vertragsbeziehungen hätten nunmehr nachverhandelt bzw. nachträglich mit einer vertraglichen Regelung zum *Brexit* dergestalt ausgestattet werden müssen, dass der *Brexit* möglichst keinen oder nur einen geringen Einschlag auf diese Vertragsbeziehungen haben würde. Bestenfalls wäre ein Loslösungsrecht für den Fall eines „harten *Brexit*" vereinbart worden – gewissermaßen ein „*Exit when Brexit*".

Die Sorgfaltspflichten des Vorstandes der AG haben sich über den Zeitverlauf mithin verdichtet,[101] d. h. sie sind konkreter und strenger geworden: Während als Reaktionsmöglichkeiten im Jahr 2015 noch verschiedene Handlungsoptionen möglich waren, um der Sorgfaltspflicht zu genügen, gab es ab Bekanntwerden des Ausgangs des Referendums vom 23. Juni 2016 nur noch die Möglichkeit, bestehende Verträge umgehend anzupassen, und ab dem 20. Februar 2016 schon die Pflicht, in neuen Verträgen ausnahmslos einen *Brexit* zu antizipieren. Hat der Vorstand die benannten Zeitpunkte ungenutzt verstreichen lassen, ist zu fragen, ob er eine Sorgfaltspflichtverletzung durch Unterlassen begangen hat oder ob er die bewusste Entscheidung getroffen hat, nichts zu tun und diese auch in Anwendung der *Business Judgement Rule* aus § 93 Abs. 1 S. 2 AktG treffen durfte.[102]

3.2.1.3 Sorgfaltspflichten in persönlicher Hinsicht

Die AG kann eine Ressortverteilung innerhalb eines mehrköpfigen Vorstandes festlegen.[103] Die Sorgfaltspflichten des jeweiligen Vorstandsmitglieds bestimmen sich dann in persönlicher Hinsicht nach den Aufgaben des einzelnen Vorstandsmitglieds,[104] die sich nach § 77 Abs. 2 AktG aus Satzung, Geschäftsordnung und Anstellungsvertrag

---

[101]Ähnlich für die Finanzkrise: *Böttcher*, Bankenvorstandshaftung im Rahmen der Sub-Prime Krise, NZG 2009, 1047 (1050).
[102]Siehe dazu sogleich 3.2.
[103]*Fleischer*, in: *Spindler/Stilz*, AktG, 4. Aufl., 2019, § 93, Rn. 41.
[104]*Spindler*, in: *Goette et al.*, MüKo AktG, Bd. 2, 5. Aufl. 2019, § 93, Rn. 25.

ergeben können.[105] Die nach der Ressortverteilung nicht zuständigen Vorstandsmitglieder trifft allerdings eine Aufsichtspflicht in Bezug auf das entsprechend zuständige Vorstandsmitglied.[106] Solange das einzelne Vorstandsmitglied keine Anhaltspunkte für ein fehlerhaftes Verhalten eines anderen Vorstandsmitglieds hat, muss ersteres Vorstandsmitglied grundsätzlich nicht das andere Vorstandsmitglied überwachen.[107] Sorgfaltspflichten in Bezug auf den *Brexit* treffen in diesem Fall nur z. B. den „Vorstand für Vertrieb" oder den „Vorstand für Finanzierung", den „Vorstand für ausländische Geschäftsbeziehungen" oder – theoretisch denkbar, aber wohl unwahrscheinlich – den „Vorstand für den *Brexit*".

3.2.2 Verantwortlichkeit

Eine Verantwortlichkeit des Vorstandsmitglieds scheidet aus, wenn der Vorstand eine unternehmerische Entscheidung im Rahmen der *Business Judgement Rule* nach § 93 Abs. 1 S. 2 AktG trifft. Fraglich ist insbesondere, ob der Vorstand unter Anwendung dieser Voraussetzungen auch gänzlich untätig bleiben darf.

3.2.2.1 Vorliegen einer unternehmerischen Entscheidung

Ein Handeln oder ein Unterlassen, das auf den drohenden *Brexit* bzw. das Ende des Übergangszeitraums reagieren oder diese Umstände antizipieren soll ist eine unternehmerische Entscheidung. Eine solche Entscheidung ist von einer gewissen Unsicherheit einer ihr zugrunde liegenden Prognose betroffen, weil – *ex-ante* – kein Vorstand die genauen Modalitäten des *Brexit* („hart" oder „weich") kennen kann.

---

[105]Vgl. OLG Koblenz, Urteil vom 09.06.1998, Az.: 3 U 1662/89, in: NZG 1998, 953 ff.
[106]*Krieger/Sailer-Coceani*, in: *Schmidt/Lutter*, AktG, Bd. 1, 3. Aufl., 2015, § 93 Rn. 32.
[107]OLG Köln, Urteil vom 31.08.2000, Az.: 18 U 42/00, in: NZG 2001, 135 (136); *Koch*, in: *Hüffer/Koch*, Aktiengesetz, 13. Aufl., 2018, § 93, Rn. 42; *Mertens/Cahn*, in: *Zöllner/Noack*, Kölner Kommentar zum AktG, 3. Aufl., 2010, Bd. 2/1, § 93, Rn. 92; für den GmbH-Geschäftsführer: BGH, Urteil vom 15.10.1996, Az.: VI ZR 319/95, in: NJW 1997, 130 (132); im Grundsatz gleich, aber im Ergebnis anders für die Prospekthaftung: OLG Hamburg, Urteil vom 18.02.2000, Az.: 11 U 213/98, in: NZG 2000, 1083 (1086).

Selbst die beteiligten Akteure wissen derzeit noch nicht, welchen Ausgang der *Brexit* nach dem Ende des Übergangszeitraums nehmen wird. Eine Entscheidung des Vorstandes ist mithin seiner Beurteilung unterworfen. Auch wenn der Umstand eines „harten *Brexit*" äußerst wahrscheinlich erscheint, kann noch nicht von einer gebundenen Entscheidung im Sinne einer „Pflichtaufgabe" die Rede sein, da das ob und wie des Abschlusses eines Freihandelsabkommens noch nicht absolut sicher feststehen. Daher liegt der Entscheidung selbst und ihrer konkreten Ausformung eine Prognose zugrunde, die mithin eine unternehmerische Entscheidung begründet.[108]

3.2.2.2 Bewusste Entscheidung in gutem Glauben

Auch wenn der Vorstand Kenntnis über eine Betroffenheit der Geschäftsbeziehungen der AG durch den *Brexit* hat und in Ansehung dessen die Entscheidung trifft, nichts zu tun, dann stellt dies eine bewusste Entscheidung dar. Gutgläubig handelt der Vorstand, wenn er selbst davon ausgeht, dass sein Handeln bzw. Unterlassen die Interessen der Gesellschaft fördert. Gutgläubigkeit entfällt nur dann, wenn der Vorstand vorsätzlich die Gesellschaft schädigt.[109] Sofern ein gewissenhafter Geschäftsleiter also *ex-ante* vernünftigerweise annehmen durfte, dass der *Brexit* auf sein Unternehmen keinen schädigenden Einfluss hat, ist ein Nichtstun vertretbar; in anderen Fällen nicht. In jedem Fall ist aber eine Prüfung erforderlich, die feststellt, ob eine Betroffenheit der AG gegeben ist.

3.2.2.3 Entscheidung auf angemessener Informationsgrundlage

Der Vorstand wird in der Regel keine eigene Einschätzung zu den rechtlichen Auswirkungen des *Brexit* abgeben können. Er darf und sollte sich

---

[108] *Spindler*, in: *Goette et al.*, MüKo AktG, Bd. 2, 5. Aufl. 2019, § 93, Rn. 43.
[109] *Grigoleit/Tomasic*, in: *Grigoleit*, AktG, 2013, § 93, Rn. 32; grobe Fahrlässigkeit soll nicht ausreichend sein, vgl. *Krieger/Sailer-Coceani*, in: *Schmidt/Lutter*, AktG, Bd. 1, 3. Aufl., 2015, § 93 Rn. 17.

daher auf die rechtliche Einschätzung seiner Rechtsabteilung oder zu diesem Zweck beauftragter externer Rechtsberater verlassen.

3.2.2.4 Handeln zum Wohle der Gesellschaft

Der Vorstand handelt zum Wohle der Gesellschaft, wenn er im Unternehmensinteresse handelt.[110] Das Unternehmensinteresse betrifft die Erhaltung des Unternehmensbestandes, die Förderung ihrer Rentabilität und die Steigerung des nachhaltigen Unternehmenswertes.[111] Umgekehrt ausgedrückt: Ein bloßes Nichtstun in Ansehung des *Brexit* bzw. des endenden Übergangszeitraums läuft den Interessen der Gesellschaft zuwider, wenn Gegenstand, Rentabilität oder Unternehmenswert der AG gefährdet sind. Dann ist das Nichtstun des Vorstandes nicht mehr befreiend von der *Business Judgement Rule* erfasst. Wenn es trotz Verteuerung von Waren oder Finanzierungen, der Erschwerung des Absatzes im Vereinigten Königreich oder Umsatz- bzw. Gewinneinbußen bei der Leistungserbringung im Vereinigten Königreich im Einzelfall aus betriebswirtschaftlichen und/oder -politischen Erwägungen geboten scheint, an der jeweiligen Geschäftsbeziehung festzuhalten und die Reaktion auf den *Brexit* tatsächlich in einem Nichtstun bestünde, weil aus unternehmerischer Sicht eine Ersatzbeschaffung bzw. ein anderweitiger Absatz entweder noch teurer oder unmöglich wäre, dann gefährdet dies noch nicht das Unternehmensinteresse. Denn möglicherweise kann nur dadurch das Unternehmen mit seinem Gegenstand Bestand haben.

Alle anderen als solche Ausnahmeszenarien dürften jedoch stets dazu führen, dass der Vorstand nicht im Unternehmensinteresse handelt, wenn er in Ansehung des *Brexit* bzw. des endenden Übergangszeitraums schlicht nichts unternimmt, um die Folgen für die AG abzumildern oder ganz auszuschließen.

---

[110]*Mertens/Cahn*, in: *Zöllner/Noack*, Kölner Kommentar zum AktG, 3. Aufl., 2010, Bd. 2/1, § 93, Rn. 24.

[111]*Krieger/Sailer-Coceani*, in: *Schmidt/Lutter*, AktG, Bd. 1, 3. Aufl., 2015, § 93 Rn. 18.

3.2.2.5 Keine Interessenkonflikte

Sachfremde Einflüsse können den Vorstand bei jeder Vorstandshandlung motivieren, so auch bei Handlungen oder Unterlassungen im Zusammenhang mit dem *Brexit*. Das Feld solcher möglichen Einflüsse ist weit und wird im Einzelfall zu prüfen sein.

Ihr Transfer in die Praxis

- Die Sorgfaltspflichten des Vorstandes in Bezug auf den *Brexit* weisen eine besondere Verknüpfung in sachlicher und zeitlicher Hinsicht auf: Die Intensität der Sorgfaltspflichten des Vorstandes nimmt zu, a) je näher das Ende des Übergangszeitraums bzw. der Zeitpunkt des verschobenen, „harten *Brexit*" rückt und b) je mehr betroffene Geschäftsbeziehungen zwischen der Aktiengesellschaft und dem Vereinigten Königreich bestehen.
- Während unmittelbar nach Verabschiedung des *Brexit*-Referendums im britischen Parlament seitens des Vorstands eine Überprüfung betroffener Geschäftsbeziehungen ausreichend war, musste bzw. muss der Vorstand bei Feststellung einer Betroffenheit der von ihm geleiteten AG Maßnahmen ergreifen, um die Auswirkungen des *Brexit* nach dem Ende des Übergangszeitraums zu verhindern oder wenigstens abzumildern.
- Der Vorstand muss den *Brexit* beim Abschluss neuer Verträge berücksichtigen und – *ex-post* – die Auswirkung auf bestehende Verträge hinsichtlich der Möglichkeit etwaiger Vertragsanpassungen überprüfen.
- Die *Business Judgement Rule* lässt eine Pflichtverletzung des Vorstandes grundsätzlich nicht entfallen, wenn er nichts oder zu wenig unternimmt, um die Unternehmensinteressen zu wahren.
- Nur in Ausnahmefällen wird sich der Vorstand darauf berufen können, im Einzelfall nichts unternommen zu haben, um die Folgen des *Brexit* in Bezug auf eine bestimmte Geschäftsbeziehung mit Unternehmen im Vereinigten Königreich abzumildern, wenn dieser Einzelfall in der Gesamtbetrachtung alle Handlungen dem Unternehmensinteresse gerecht werden lässt.

Literatur

Bayer W (2014) Vorstandshaftung in der AG de lege lata und de lege ferenda, NJW, 2546–2550

Behringer S (Hrsg) (2013) Compliance kompakt, Best Practice im Compliance-Management, 3. Aufl. Schmidt, Berlin

Böttcher L (2009) Bankenvorstandshaftung im Rahmen der Sub-Prime Krise, NZG, 1047–1052

Fleischer H (2009) Aktuelle Entwicklungen der Managerhaftung, NJW, 2337–2343

Freeman RE (1984) Strategic management – a stakeholder approach. Pitman, Boston

Graewe D (Hrsg) (2019) Wirtschaftsrecht – Lehrbuch für Master-Studiengänge, 2. Aufl. Springer Gabler, Wiesbaden

Grigoleit HC (Hrsg) (2013) Aktiengesetz. Kommentar, München

Goette W, Habersack M, Kalss S (Hrsg) (2019) Münchener Kommentar zum Aktiengesetz, vol 2, 5. Aufl. C.H. Beck, München

Goette W, Habersack M, Kalss S (Hrsg) (2018) Münchener Kommentar zum Aktiengesetz, vol 3, 4. Aufl. C.H. Beck, München

Heer PE (2018) Sorgfaltspflichten der Geschäftsleitung vor dem Hintergrund beschränkter Verkäuferhaftung in Unternehmenskaufverträgen, GWR, 125–131

Henssler M, Strohn L (Hrsg) (2019) Gesellschaftsrecht, 4. Aufl. C.H. Beck, München

Herdegen M (2019) Völkerrecht, 18. Aufl. C.H. Beck, München

Hölters W (2017) Aktiengesetz Kommentar, 3. Aufl. C.H. Beck, München

Hoffmann-Becking M (Hrsg) (2015) Münchener Handbuch des Gesellschaftsrechts, vol 4, 4. Aufl. C.H. Beck, München (Aktiengesellschaft)

Hoffmann-Becking M (2006) Vorstandsvergütung nach Mannesmann, NZG, 127–131

Hüffer U, Koch J (2018) Aktiengesetz, 13. Aufl. C.H. Beck, München

Jenkins J (2009) The decline and fall of the business judgement rule. 17 Corp Gov Advisor 3:1–17

Kremer T, Bachmann G, Lutter M, von Werder A (Hrsg) (2018) Deutscher Corporate Governance Kodex, 7. Aufl. C.H. Beck, München

Kropff B (1998) Die Unternehmensplanung im Aufsichtsrat, NZG, 613–619

Loritz K-G, Wagner K-R (2012) Haftung von Vorständen und Aufsichtsräten, DStR, 2189–2195

Merkt H, Mylich F (2012) Einlage eigener Aktien und Rechtsrat durch den Aufsichtsrat, NZG, 525–530

OECD (1999) Principles of corporate governance. https://www.oecd.org/officialdocuments/publicdisplaydocumentpdf/?cote=C/MIN(99)6&docLanguage=En. Zugegriffen: 9. März 2020

Paefgen WG (2009) Die Darlegungs- und Beweislast bei der Business Judgement Rule, NZG, 891–896.

Rosenberg D (2007) Galactic stupidity and the business judgement rule, JCL, 301–322.

Schmidt K, Lutter M (Hrsg) (2015) Aktiengesetz, Kommentar, vol 1, 3. Aufl. Otto Schmidt, Köln

Spindler G, Stilz E (Hrsg) (2019) Aktiengesetz, Kommentar, vol 1, 4. Aufl. C.H. Beck, München

UN (2011) Guiding Principles on Business and Human Rights: Implementing the United Nations ‚Protect, Respect and Remedy' Framework, 2011, UN Doc. A/HRC/17/31. https://www.ohchr.org/documents/publications/GuidingprinciplesBusinesshr_eN.pdf. Zugegriffen: 9. März 2020

Zöllner W, Noack U (Hrsg) (2010) Kölner Kommentar zum Aktiengesetz, vol 2/1, 3. Aufl. Heymann, Köln

4

Konsequenzen aus der Verletzung von Sorgfaltspflichten

> **Was Sie aus diesem Kapitel mitnehmen**
>
> - Konsequenzen bei einer Sorgfaltspflichtverletzung des Vorstandes im Zusammenhang mit dem Brexit
> - Rechenschaftsanspruch von Aufsichtsrat und Aktionären
> - Handlungsempfehlungen für Aufsichtsrat und Aktionäre zur Durchsetzung von Ansprüchen in der Praxis
> - Möglichkeit vorbeugender Maßnahmen

Schließlich stellt sich die Frage, welche Maßnahmen der Aufsichtsrat bzw. der Eigentümer selbst, d. h. die Aktionäre, die im Organ der Hauptversammlung versammelt sind, vornehmen bzw. veranlassen können, um einer Sorgfaltspflichtverletzung durch den Vorstand zu begegnen oder dieser – wenn möglich – sogar vorzubeugen. Dazu werden nachfolgend zwei wesentliche Handlungsoptionen betrachtet: Der Schadensersatzanspruch gegen den Vorstand (s. u. 4.1) und die Möglichkeit des vorzeitigen Widerrufs seiner Bestellung (auch als sog. „Abberufung" bezeichnet) (s. u. 4.2).

4.1 Schadensersatz

Um die nachteiligen Auswirkungen des *Brexit* infolge der Verletzung von Sorgfaltspflichten durch den Vorstand auszugleichen, kann die Gesellschaft gem. § 93 Abs. 2 AktG vom Vorstand Schadensersatz verlangen. Die in § 93 Abs. 3 AktG enthaltenen besonderen Haftungstatbestände stellen besonders schwere Verstöße mit der jeweiligen Folge einer gesetzwidrigen Minderung des Gesellschaftsvermögens dar.[1] Vor dem Hintergrund des *Brexit* und der oben besprochenen Fallkonstellationen dürften diese jedoch unmittelbar allesamt nicht einschlägig sein, sodass im Folgenden die Voraussetzungen des allgemeinen Schadensersatzanspruches nach § 93 Abs. 2 S. 1 AktG betrachtet werden.

4.1.1 Voraussetzungen

Die Tatbestandsvoraussetzungen für einen Schadensersatzanspruch der AG gegen ihren Vorstand gem. § 93 Abs. 2 S. 1 AktG sind: 1) Vorstandseigenschaft des Anspruchsgegners, 2) Pflichtverletzung, 3) Verschulden sowie 4) das Vorliegen eines kausal auf der Pflichtverletzung gründenden Schadens.[2]

4.1.1.1 Vorstandseigenschaft

Der Anspruchsgegner des Schadensersatzanspruchs muss Vorstandsmitglied sein. Die Haftung beginnt mit der wirksamen Bestellung (nicht erst mit der Eintragung ins Handelsregister) und endet mit Ablauf der Amtszeit des Vorstandsmitglieds gem. § 84 Abs. 1 S. 1 AktG oder dessen wirksamer vorzeitiger Abberufung gem. § 84 Abs. 3 S. 1

---

[1] *Spindler*, in: *Goette et al.*, MüKo AktG, Bd. 2, 5. Aufl. 2019, § 93, Rn. 251; *Schaefer/Missling*, Haftung von Vorstand und Aufsichtsrat, NZG 1998, 441 (442).
[2] *Fleischer*, in: *Spindler/Stilz*, AktG, 4. Aufl., 2019, § 93, Rn. 176.

AktG.³ Sofern die anspruchsbegründende Pflichtverletzung in der Vergangenheit liegt, kann aber auch ein ehemaliges Vorstandsmitglied zur Haftung herangezogen werden.⁴ Im Falle einer Pflichtverletzung durch mehrere Vorstandsmitglieder haften diese gesamtschuldnerisch nach §§ 421 ff. BGB, mit der Folge, dass die AG den Ersatz des gesamten Schadens von einem (beteiligten) Vorstandsmitglied verlangen kann.⁵ Im Innenverhältnis kann das aufgrund einer bestimmten Ressortverteilung zuständige Vorstandsmitglied dann anteilig stärker ersatzpflichtig sein als insoweit nicht zuständige Vorstandsmitglieder.⁶

4.1.1.2 Pflichtverletzung

Erste zentrale Tatbestandsvoraussetzung für einen Schadensersatzanspruch der Gesellschaft im Zusammenhang mit dem *Brexit* ist das Vorliegen einer Pflichtverletzung seitens des Vorstandsmitglieds. Neben der organschaftlichen Treuepflicht und der Verschwiegenheitspflicht gem. § 93 Abs. 1 S. 3 und 4 AktG sowie weiteren sich aus Satzung, Anstellungsvertrag oder Geschäftsordnung ergebenden Pflichten, kommt hier insbesondere eine Verletzung der allgemeinen Sorgfaltspflicht aus § 93 Abs. 1 S. 1 AktG in Betracht.⁷ Die Pflichtwidrigkeit des Verhaltens des Vorstandes wird vermutet, sodass der Vorstand für dessen Nichtvorliegen, insbesondere auch für die Einhaltung der *Business Judgement Rule*,⁸ darlegungs- und beweisbelastet ist.⁹ Eine

---

³Zur Abberufung s. u. 4.2.
⁴LG Duisburg, Urteil vom 09.11.2016, Az.: 25 O 54/12, in: BeckRS 2016, 20599; *Dauner-Lieb*, in: *Hensler/Strohn*, Gesellschaftsrecht, 4. Aufl., 2019, § 93 AktG, Rn. 28.
⁵*Krieger/Sailer-Coceani*, in: *Schmidt/Lutter*, AktG, Bd. 1, 3. Aufl., 2015, § 93 Rn. 30; *Loritz/Wagner*, Haftung von Vorständen und Aufsichtsräten, DStR 2012, 2189 (2195).
⁶Unter Anwendung des Rechtsgedankens aus § 254 BGB: *Grigoleit/Tomasic*, in: *Grigoleit*, AktG, 2013, § 93, Rn. 62; *Mertens/Cahn*, in: *Zöllner/Noack*, Kölner Kommentar zum AktG, 3. Aufl., 2010, Bd. 2/1, § 93, Rn. 50.
⁷S.o. 3.1.1; *Dauner-Lieb*, in: *Hensler/Strohn*, Gesellschaftsrecht, 4. Aufl., 2019, § 93 AktG, Rn. 29.
⁸*Loritz/Wagner*, Haftung von Vorständen und Aufsichtsräten, DStR 2012, 2189 (2189).
⁹H.M.; vgl. nur *Schaefer/Missling*, Haftung von Vorstand und Aufsichtsrat, NZG 1998, 441 (445), m.w.N.

Pflichtverletzung des Vorstandes entfällt schon von Anfang an, wenn dieser einen entsprechenden Beschluss der Hauptversammlung eingeholt hat,[10] z. B. darüber, dass die Untersuchung oder Nachverhandlung bestimmter unwesentlicher Geschäftsbeziehungen nicht erforderlich ist und die Auswirkungen des *Brexit* darauf hingenommen werden können. Dass die Hauptversammlung dem Vorstand bereits eine Untersuchungspflicht in Bezug auf solche Geschäftsbeziehungen erlässt, mag allerdings stark bezweifelt werden.

In Anbetracht der oben dargestellten Sorgfaltspflichten des Vorstandes beim *Brexit*[11] stellt es eine erste Pflichtverletzung dar, wenn der Vorstand es nach dem 14. Dezember 2015, d. h. dem Tag der Verabschiedung des Gesetzes für das *Brexit*-Referendum, unterlassen hat, die grenzüberschreitenden Geschäftsbeziehungen der AG mit Unternehmen im Vereinigten Königreich auf eine Betroffenheit durch den *Brexit* zu überprüfen. Eine zweite Pflichtverletzung liegt vor, wenn der Vorstand nach dem 23. Juni 2016, d. h. dem Tag des Referendums und der Entscheidung der Bevölkerung des Vereinigten Königreichs für den *Brexit*, nicht sämtliche verfügbaren Maßnahmen ergriffen hat, um die Auswirkungen des *Brexit* auf diese Geschäftsbeziehungen abzumildern oder auszuschließen. Der Vorstand haftet dabei zwar nicht für einen Erfolg seiner Bemühungen,[12] da er deren Ausgang nicht einseitig beeinflussen kann. Er haftet wohl aber für den unterlassenen Versuch der Schadensvermeidung und -minderung. Schließlich liegt eine dritte Pflichtverletzung vor, wenn der Vorstand nach der Bekanntgabe des Termins für das *Brexit*-Referendum am 20. Februar 2016 keine Vorkehrungen für zukünftige Geschäftsbeziehungen mit Unternehmen im Vereinigten Königreich trifft, z. B. durch Einschluss von Kündigungsrechten oder Anpassungen von Preisen und Lieferfristen für den Fall des *Brexit*.

---

[10]Vgl. § 93 Abs. 4 S. 1 AktG.
[11]S. o. 3.2.1.
[12]*Dauner-Lieb*, in: *Henssler/Strohn*, Gesellschaftsrecht, 4. Aufl., 2019, § 93 AktG, Rn. 29 a.E.

4.1.1.3 Verschulden

Zweite zentrale Tatbestandsvoraussetzung für die Vorstandshaftung ist das Vorliegen eines Verschuldens, d. h. ein vorsätzliches oder fahrlässiges Handeln des Vorstandsmitglieds.[13] Fahrlässigkeit liegt vor, wenn ein Vorstandsmitglied nicht die Sorgfalt eines ordentlichen und gewissenhaften Geschäftsleiters angewandt hat.[14]

Der Vorstand bzw. ein Vorstandsmitglied können jedoch kollektive oder individuelle Entschuldigungsgründe vorbringen, um sich zu exkulpieren. Dies kann im Zusammenhang mit dem *Brexit* beispielsweise dann der Fall sein, wenn sich der Vorstand sachkundiger Beratung im Rahmen seiner vorgenannten Pflichterfüllung bedient hat, diese Beratung aber *ex-post* betrachtet unrichtig war. Zur Feststellung etwaiger rechtlicher Auswirkungen auf grenzüberschreitende Geschäftsbeziehungen mit Unternehmen im Vereinigten Königreich dürfte das Einholen von Rechtsrat unabdingbar (gewesen) sein. Selbst bei eigener juristischer Fachkunde des Vorstands dürften die Auswirkungen auf ein konkretes Unternehmen zu komplex sein, als dass sie durch ein oder mehrere Vorstandsmitglieder mit der erforderlichen Sorgfalt angemessen (hätten) aufgearbeitet werden können. Durfte sich der Vorstand auf den erteilten Rechtsrat verlassen,[15] kann ihm kein Verschulden vorgeworfen werden.[16] Da das Verschulden im Sinne eines „Vertretenmüssens" vermutet wird,[17] liegt die Beweislast für ein fehlendes Verschulden beim Vorstand.[18] Dies gilt gem. § 93 Abs. 2 S. 2 AktG insbesondere für Fälle, in denen sich der Vorstand auf ein Handeln im Rahmen der *Business Judgement Rule* beruft.[19]

---

[13] *Spindler*, in: *Goette et al.*, MüKo AktG, Bd. 2, 5. Aufl. 2019, § 93, Rn. 198.
[14] A. a. O., Rn. 201.
[15] Zu den Voraussetzungen s. o. 3.1.2.3.
[16] *Spindler*, in: *Goette et al.*, MüKo AktG, Bd. 2, 5. Aufl. 2019, § 93, Rn. 200.
[17] *Grigoleit/Tomasic*, in: *Grigoleit*, AktG, 2013, § 93, Rn. 60.
[18] H.M.; vgl. nur BGH, Urteil vom 04.11.2002, Az.: II ZR 224/00, in: DStR 2003, 124 (125) und *Koch*, in: *Hüffer/Koch*, Aktiengesetz, 13. Aufl., 2018, § 93, Rn. 53, m.w.N.
[19] *Koch*, in: *Hüffer/Koch*, Aktiengesetz, 13. Aufl., 2018, § 93, Rn. 54.

4.1.1.4 Schaden und Kausalität

Die Bestimmung des Schadens, den die AG kausal durch die Pflichtverletzung des Vorstandes erlitten hat, richtet sich nach den allgemeinen Bestimmungen in den §§ 249 ff. BGB. Danach ist der Zustand wiederherzustellen, der bestehen würde, wenn der zum Ersatz verpflichtende Umstand nicht eingetreten wäre. Dies schließt den entgangenen Gewinn mit ein.[20] Kommt es nach Ablauf des Übergangszeitraums zu einem „harten *Brexit*", dann werden sich durch den Wegfall der Zollunion und des EU-Binnenmarktes beispielsweise Waren und Dienstleistungen verteuern und deren Ein- bzw. Ausfuhr wird sich verzögern. Diese Umstände werden sich in messbaren Zahlen bei einer betroffenen AG niederschlagen, etwa in Gestalt eines geringeren Absatzes und Gewinns oder Schadensersatzforderungen von Vertragspartnern wegen verspäteter oder ausbleibender Lieferung bzw. Leistungserbringung.

4.1.2 Pflicht des Aufsichtsrates zur Geltendmachung

Nach § 112 AktG vertritt der Aufsichtsrat die Gesellschaft gegenüber dem Vorstand und ist daher zur Geltendmachung von Schadensersatzansprüchen gegenüber dem Vorstand berufen.[21] Eine direkte Inanspruchnahme durch die Hauptversammlung ist nicht möglich. Nach der Rechtsprechung des BGH im Fall „ARAG/Garmenbeck" ist der Aufsichtsrat allerdings regelmäßig verpflichtet, voraussichtlich durchsetzbare Schadensersatzansprüche gegenüber dem Vorstand im Namen der Gesellschaft geltend zu machen.[22] Um diesem Verlangen Nachdruck zu verleihen, kann die Hauptversammlung nach § 147 Abs. 1 S. 1 AktG beschließen, dass ein Schadensersatzanspruch gegen ein Vorstandsmitglied vom Aufsichtsrat verfolgt werden muss.
Ihr Transfer in die Praxis

---

[20]BGH, Urteil vom 15.01.2013, Az.: II ZR 90/11, in: NJW 2013, 1958.
[21]*Krieger/Sailer-Coceani*, in: *Schmidt/Lutter*, AktG, Bd. 1, 3. Aufl., 2015, § 93 Rn. 46.
[22]BGH, Urteil vom 21.04.1997, Az.: II ZR 175/95, in: NJW 1997, 1926 (1926).

- Soweit der Vorstand seine ihm im Rahmen des *Brexit* zukommenden Sorgfaltspflichten verletzt, kann die AG grundsätzlich Schadensersatz von ihm verlangen.
- Voraussetzung ist das Unterlassen geeigneter Maßnahmen, um die Auswirkungen des *Brexit* nach Ablauf des Übergangszeitraums auf die AG abzumildern.
- Eine andere Bewertung könnte sich nur dann ergeben, wenn der Vorstand zur Bewertung der mit dem *Brexit* verbundenen Risiken und seiner Auswirkungen Rat bei externen (Rechts-) Beratern einholt, der sich im Nachhinein als fehlerhaft herausstellt. Sofern der Vorstand auf diesen Rat vertrauen durfte, kann er sich insoweit exkulpieren.

4.2 Abberufung

Sofern die nachträgliche Behebung von Pflichtverletzungen nicht ausreichend erscheint, kann der Vorstand gem. § 84 Abs. 3 S. 1 AktG durch den Widerruf seiner Bestellung abberufen werden.

4.2.1 Vorliegen eines wichtigen Grundes

Der Vorstand einer Aktiengesellschaft kann nur aus „wichtigem Grund" abberufen werden.[23] Aufgrund dieser – im Vergleich zur GmbH[24] – beschränkten Abberufungsmöglichkeit, ist die Amtszeit des Vorstandes – gewissermaßen zum Ausgleich – auf 5 Jahre beschränkt, während die Amtszeit des GmbH-Geschäftsführers unbeschränkt ist. Für den neben dem Organverhältnis stehenden Anstellungsvertrag des Geschäftsführers gilt dieselbe Befristung.[25] In der Praxis wird durch Verknüpfung beider Laufzeiten ein Gleichlauf hergestellt, sodass der Anstellungsvertrag im

---

[23]Vgl. § 84 Abs. 3 AktG.
[24]Vgl. § 38 Abs. 1 GmbHG; *Zöllner/Noack*, in: *Baumbach/Hueck*, GmbHG, 21. Aufl. 2017, § 38, Rn. 3 ff.
[25]Vgl. § 84 Abs. 1 S. 5 AktG.

Falle der Abberufung keiner gesonderten Kündigung bedarf, sondern mit Abberufung ebenfalls endet.[26] In § 84 Abs. 3 S. 2 AktG werden wichtige Gründe für die Abberufung als Regelbeispiele genannt: Die grobe Pflichtverletzung, die Unfähigkeit zur ordnungsmäßigen Geschäftsführung und der Vertrauensentzug durch die Hauptversammlung.[27] Die Regelung weiterer abstrakter wichtiger Gründe im Anstellungsvertrag ist wohl unzulässig; ebenso dürfte das Abbedingen der Abberufungsmöglichkeit wegen ihrer zwingenden Natur nicht möglich sein.[28]

Ein wichtiger Grund liegt im Allgemeinen vor, wenn der AG die Fortsetzung des Organverhältnisses bis zum Ende der Amtszeit des Vorstandsmitglieds unzumutbar ist.[29] Dabei müssen die Interessen der AG mit den Interessen des betroffenen Vorstandsmitglieds abgewogen werden.[30] Wann die Fortsetzung unzumutbar ist, ist im Einzelfall zu bestimmen und unterliegt damit der Ausformung durch die Gerichte. Daher sieht das Gesetz in § 84 Abs. 3 S. 2 AktG Beispielsfälle für das Vorliegen eines wichtigen Grundes vor.

4.2.1.1 Grobe Pflichtverletzung

Eine grobe Pflichtverletzung gem. § 84 Abs. 3 S. 2 1. Var. AktG liegt beispielsweise bei Vornahme strafbarer Handlungen,[31] der Aneignung

---

[26]*Graewe*, Abberufung eines Vorstandsmitglieds aufgrund Vertrauensentzugs durch die Hauptversammlung, BOARD 2018, 77 (77); zur Zulässigkeit einer solchen sog. „Koppelungsvereinbarung" im Wege der auflösenden Bedingung s. BGH, Urteil vom 29.05.1989, Az.: II ZR 220/88, in: NJW 1989, 2683 (2684).
[27]Vgl. § 84 Abs. 3 S. 2 AktG.
[28]*Fleischer*, in: *Spindler/Stilz*, AktG, 4. Aufl., 2019, § 84, Rn. 99.
[29]Allg. M.; vgl. nur BGH, in NJW-RR 1988, 352 (353); *Grigoleit/Vedder*, in: *Grigoleit*, AktG, 2013, § 84, Rn. 32; *Spindler*, in: *Goette et al.*, MüKo AktG, Bd. 2, 5. Aufl. 2019, § 84, Rn. 131.
[30]H.M.: BGH, Urteil vom 07.06.1962, Az.: II ZR 131/61, in: BeckRS 1962, 31182814; OLG Stuttgart, Urteil vom 13.03.2002, Az.: 20 U 59/01, in: BeckRS 2002, 30246665; *Fleischer*, in: *Spindler/Stilz*, AktG, 4. Aufl., 2019, § 84, Rn. 100; *Koch*, in: *Hüffer/Koch*, Aktiengesetz, 13. Aufl., 2018, § 84, Rn. 34; a. A. *Grigoleit/Vedder*, in: *Grigoleit*, AktG, 2013, § 84, Rn. 32, wonach die Interessen des Vorstandsmitglieds bei der Abwägung keine Rolle spielen sollen, weil die Widerruflichkeit der Bestellung nicht zum Schutze des Vorstandsmitglieds bestünde.
[31]BGH, Urteil vom 13.07.1956, Az.: VI ZR 88/55, in: NJW 1956, 1513.

4 Konsequenzen aus der Verletzung von Sorgfaltspflichten

von Gesellschaftsvermögen[32] oder der Überschreitung der Geschäftsführungsbefugnis vor.[33] In der rechtswissenschaftlichen Literatur werden diese auch als „verhaltensbedingte" Kündigungsgründe bezeichnet, weil das Vorstandsmitglied deren Vorliegen durch sein eigenes Verhalten bestimmen kann.[34] Das Unterlassen entsprechender Maßnahmen zur Abmilderung der Auswirkungen des *Brexit* auf die AG dürfte wohl erst bei Erreichen eines großen finanziellen oder zahlenmäßigen Ausmaßes als grobe Pflichtverletzung anzusehen sein.[35] Die finanziellen Auswirkungen müssten den Fortbestand des Unternehmens selbst bedrohen oder erhebliche Verluste nach sich ziehen. In der Literatur wird in diesem Zusammenhang ein wiederholender bzw. dauerhafter Charakter der Pflichtverletzung betont.[36] Hier wäre dies wohl z. B. der Fall, wenn der Vorstand wiederholt neue Verträge mit großen Vertragsvolumina abschließt, ohne dabei eine *Brexit*-Klausel vorzusehen.[37]

4.2.1.2 Unfähigkeit zur ordnungsgemäßen Geschäftsführung

Die Unfähigkeit zur ordnungsgemäßen Geschäftsführung nach § 84 Abs. 3 S. 2 2. Var. AktG betrifft Gründe, die in der Person des Vorstandsmitglieds liegen, beispielsweise eine längere Krankheit,[38] unüberbrückbare Differenzen mit dem Aufsichtsrat über grundsätzliche

---

[32]BGH, Urteil vom 17.10.1983, Az.: II ZR 31/83, in: BeckRS 1983, 05639, Rn. 11.
[33]OLG Stuttgart, Hinweisbeschluss vom 28.05.2013, Az.: 20 U 5/12, in: GWR 2013, 517; weitere Beispiele bei *Fleischer*, in: *Spindler/Stilz*, AktG, 4. Aufl., 2019, § 84, Rn. 104 und *Koch*, in: *Hüffer/Koch*, Aktiengesetz, 13. Aufl., 2018, § 84, Rn. 36.
[34]Vgl. *Fleischer*, in: *Spindler/Stilz*, AktG, 4. Aufl., 2019, § 84, Rn. 104, aber kritisch bei Rn. 105 a.E.
[35]Für eine „hohe" Verschuldung, vgl. *Spindler*, in: *Goette et al.*, MüKo AktG, Bd. 2, 5. Aufl. 2019, § 84, Rn. 134.
[36]Für „wiederholte" Übergriffe in die Zuständigkeitsbereiche von anderen Vorstandsmitgliedern, vgl. *Wiesner*, in: *Hoffmann-Becking*, MHdB GesR, 4. Aufl., 2015, Bd. 4, 5. Kapitel, § 20, Rn. 53; für die „kategorische" Weigerung, sich Regeln zu unterwerfen, vgl. *Spindler*, in: *Goette et al.*, MüKo AktG, Bd. 2, 5. Aufl. 2019, § 84, Rn. 134.
[37]S. o. 2.3.2.4.
[38]BAG, Urteil vom 12.03.1968, Az.: 1 AZR 413/67, in: NJW 1968, 1693 (1693).

Fragen der Unternehmenspolitik[39] oder ein unheilbares Zerwürfnis der Geschäftsleiter untereinander.[40] Da diese Gründe nicht spezifisch mit dem *Brexit* und seinen Auswirkungen verknüpft sind, sondern vielmehr auch unabhängig davon auftreten können, werden diese hier nicht vertieft.

4.2.1.3 Vertrauensentzug durch die HV

Schließlich ist gem. § 84 Abs. 3 S. 2 3. Var. AktG ein wichtiger Grund für die Abberufung gegeben, wenn die Hauptversammlung einem Vorstandsmitglied das Vertrauen entzieht. Der Hauptversammlung steht dabei ein weiter Ermessensspielraum zu, der seine Grenzen erst bei offenbarer Unsachlichkeit der Gründe für den Vertrauensentzug findet.[41] Offenbar unsachlich ist ein willkürlicher, haltloser oder wegen des damit verfolgten Zwecks sittenwidriger, treuwidriger oder sonst wie rechtswidriger Entzug des Vertrauens.[42] Unerheblich ist, ob die dargelegten Gründe auch tatsächlich zutreffend sind; es kommt vielmehr darauf an, dass die Hauptversammlung ohne Willkür davon ausgehen durfte, dass sie zutreffend sind.[43] Auch eine Begründung durch die Hauptversammlung oder eine vorherige Anhörung des Vorstandsmitglieds sind nicht erforderlich.[44]

Die Beweislast für die offenbare Unsachlichkeit liegt beim Vorstand. Die AG hat allerdings die Gründe des Vertrauensentzuges darzulegen, damit das Gericht prüfen kann, ob diese geeignet waren, einen Vertrauensentzug durch die Hauptversammlung zu begründen.

Im vorliegenden Fall dürfte der fehlende, verspätete oder unsachgemäße Umgang des Vorstandes mit dem *Brexit* und seinen

---

[39] *Wiesner*, in: *Hoffmann-Becking*, MHdB GesR, 4. Aufl., 2015, Bd. 4, 5. Kapitel, § 20, Rn. 56.
[40] BGH, Beschluss vom 12.01.2009, Az.: II ZR 27/08, in: NZG 2009, 386 (388).
[41] Vgl. § 84 Abs. 3 S. 2 AktG a.E.
[42] So BGH, Urteil vom 15.11.2016, Az.: II ZR 217/15, in: NZG 2017, 261 (263), Rn. 15, m.w.N.
[43] A. a. O.
[44] *Spindler*, in: *Goette et al.*, MüKo AktG, Bd. 2, 5. Aufl. 2019, § 84, Rn. 140.

Auswirkungen nach dem Ende des Übergangszeitraums wohl einen Vertrauensentzug begründen; jedenfalls stellt er sich aber nicht – was ausreichend ist – als offenbar unsachlich dar. Denn der AG kann bei völliger Nichtbeachtung des *Brexit* und seiner möglichen Auswirkungen je nach Betroffenheit der Geschäftsbeziehungen ein erheblicher Schaden drohen. Ein sachlicher Grund liegt auch dann noch vor, wenn der Vorstand bei der Art und Weise des Umgangs mit dem *Brexit* bloß eine andere Ansicht vertritt oder Herangehensweise bevorzugt als die Aktionäre.[45]

4.2.2 Vorbeugende Maßnahmen

Sofern die Verletzung von Sorgfaltspflichten im Zusammenhang mit dem *Brexit* einen Vertrauensentzug rechtfertigen würde, stellt sich in zeitlicher Hinsicht wiederum die Frage, ob etwa die Hauptversammlung vorbeugende Maßnahmen in Antizipation einer Sorgfaltspflichtverletzung bzw. des *Brexit* treffen kann oder erst nach einer erfolgten Pflichtverletzung reagieren und das Vertrauen entziehen kann. Eine solche „Verdachtsabberufung" wäre z. B. denkbar, wenn der Verdacht einer groben Pflichtverletzung begründet ist, d. h. auf konkreten, objektiv nachprüfbaren Tatsachen beruht.[46] Weigert sich der Vorstand beispielsweise zukünftige Verträge zwischen der AG und Unternehmen im Vereinigten Königreich über Warenlieferungen nicht mit einer für die AG vorteilhaften *Brexit*-Regelung zu versehen, so kann die Hauptversammlung ihm deswegen das Vertrauen entziehen.

4.2.3 Zuständigkeit

Das Recht zum Widerruf der Bestellung steht ausschließlich dem Aufsichtsrat zu, der es seinerseits nicht auf ein anderes Organ der

---

[45] *Koch*, in: *Hüffer/Koch*, Aktiengesetz, 13. Aufl., 2018, § 84, Rn. 37.
[46] *Fleischer*, in: *Spindler/Stilz*, AktG, 4. Aufl., 2019, § 84, Rn. 112a.

Gesellschaft, einen Ausschuss[47] oder gar einen Dritten übertragen kann.[48] Dem Aufsichtsrat steht insoweit auch ein Ermessen zu.[49] Er ist mithin nicht verpflichtet, das Vorstandsmitglied, dem die Hauptversammlung das Vertrauen entzogen hat, auch tatsächlich abzuberufen.[50] Der Aufsichtsrat muss sich vielmehr eine eigene Meinung darüber bilden, ob der Vertrauensentzug möglicherweise offenbar unsachlich ist.[51] Offenbare Unsachlichkeit wird bei den oben genannten Gründen in Bezug auf den *Brexit* allerdings wohl kaum vorliegen.

Ihr Transfer in die Praxis

- Einem Vorstandsmitglied, das Maßnahmen im Zusammenhang mit dem *Brexit* entgegen der Auffassung der Hauptversammlung ergreift oder unterlässt, kann von der Hauptversammlung das Vertrauen entzogen werden.
- Wenn der Vertrauensentzug nicht offenbar unsachlich war, wird der Aufsichtsrat das Vorstandsmitglied in der Regel abberufen, nicht zuletzt, um eine eigene Haftung gegenüber der Gesellschaft zu vermeiden.
- Ein Vertrauensentzug ist auch als vorbeugende Maßnahme vor einem erwarteten, unzureichenden Verhalten des Vorstandes möglich. Damit können die Eigentümer schon vor dem Eintritt eines Schadens (mittelbar) unwillige Vorstandsmitglieder ersetzen, um letztendlich das Unternehmen und ihre eigene Kapitalanlage vor Schaden zu bewahren.

---

[47]Vgl. § 107 Abs. 3 S. 2 AktG.
[48]Vgl. § 84 Abs. 3 S. 1 AktG; *Spindler*, in: *Goette et al.*, MüKo AktG, Bd. 2, 5. Aufl. 2019, § 84, Rn. 120, m.w.N.
[49]Vgl. den Wortlaut („kann"); aber umstr.; zustimmend: OLG Stuttgart, Urteil vom 13.03.2002, Az.: 20 U 60/01, in: NJW 2002, 971 (972), *Graewe*, Abberufung eines Vorstandsmitglieds aufgrund Vertrauensentzugs durch die Hauptversammlung, BOARD 2018, 77 (77) und *Spindler*, in: *Goette et al.*, MüKo AktG, Bd. 2, 5. Aufl. 2019, § 84, Rn. 130, m.w.N.; a. A. *Schaefer/Missling*, Haftung von Vorstand und Aufsichtsrat, NZG 1998, 441 (445 f.); *Wiesner*, in: *Hoffmann-Becking*, MHdB GesR, 4. Aufl., 2015, Bd. 4, 5. Kapitel, § 20, Rn. 61.
[50]BGH, Urteil vom 28. 4. 1954 - II ZR 211/53, in: NJW 1954, 998 (999); *Spindler*, in: *Goette et al.*, MüKo AktG, Bd. 2, 5. Aufl. 2019, § 84, Rn. 142.
[51]*Graewe*, Abberufung eines Vorstandsmitglieds aufgrund Vertrauensentzugs durch die Hauptversammlung, BOARD 2018, 77 (78).

Literatur

Baumbach A, Hueck A (2017) Gesetz betreffen die Gesellschaft mit beschränkter Haftung, 21. Aufl. C.H. Beck, München

Graewe D (2018) Abberufung eines Vorstandsmitglieds aufgrund Vertrauensentzugs durch die Hauptversammlung, BOARD, 77–78

Grigoleit HC (Hrsg) (2013) Aktiengesetz. Kommentar, München

Goette W, Habersack M, Kalss S (Hrsg) (2019) Münchener Kommentar zum Aktiengesetz, vol 2, 5. Aufl. C.H. Beck, München

Goette W, Habersack M, Kalss S (Hrsg) (2018) Münchener Kommentar zum Aktiengesetz, vol 3, 4. Aufl. C.H. Beck, München

Henssler M, Strohn L (Hrsg) (2019) Gesellschaftsrecht, 4. Aufl. C.H. Beck, München

Hoffmann-Becking M (Hrsg) (2015) Münchener Handbuch des Gesellschaftsrechts, vol 4, 4. Aufl. C.H. Beck, München (Aktiengesellschaft)

Hüffer U, Koch J (2018) Aktiengesetz, 13. Aufl. C.H. Beck, München

Loritz K-G, Wagner K-R (2012) Haftung von Vorständen und Aufsichtsräten, DStR, 2189–2195

Schaefer H, Missling PJ (1998) Haftung von Vorstand und Aufsichtsrat, NZG, 441–447

Schmidt K, Lutter M (Hrsg) (2015) Aktiengesetz, Kommentar, vol 1, 3. Aufl. Otto Schmidt, Köln

Spindler G, Stilz E (Hrsg) (2019) Aktiengesetz, Kommentar, vol 1, 4. Aufl. C.H. Beck, München

Zöllner W, Noack U (Hrsg) (2010) Kölner Kommentar zum Aktiengesetz, vol 2/1, 3. Aufl. Heymann, Köln

5

Schluss

Die Mitgliedschaft des Vereinigten Königreichs in der EU erfreute sich innerhalb der eigenen Bevölkerung nie einer wirklich überzeugenden Unterstützung. Ein *Brexit* hat sich über mehrere Jahre abgezeichnet und ist schließlich am 31. Januar 2020 mit dem Austritt des Vereinigten Königreichs aus der EU und der automatischen Beendigung der europäischen Verträge vollzogen worden. Ein Ende hat der *Brexit* damit noch nicht gefunden, denn seine Auswirkungen werden durch die Fortgeltung der europäischen Verträge bis zum Ende des Übergangszeitraums nur aufgeschoben. Erst danach – d. h., ohne dass sich die Parteien auf eine Verlängerung einigen, vermutlich zum 1. Januar 2021 – werden die tatsächlichen Auswirkungen des *Brexit* platzgreifen. Derzeit sieht es allem Anschein nach danach aus, als ob es zum Ende des Übergangszeitraums einen sog. „ungeordneten Austritt" des Vereinigten Königreichs aus der EU geben wird. D. h. es wird zu diesem Zeitpunkt kein Freihandelsabkommen oder ein ähnliches Vertragswerk zwischen der EU und dem Vereinigten Königreich geben, das die über Jahrzehnte gewachsenen Handelsbeziehungen zwischen den Mitgliedsstaaten der EU behutsam mit den einschneidenden Austrittsfolgen vereinbar werden lässt.

Dies entspricht dem sog. „harten *Brexit*", der dementsprechend erhebliche wirtschaftliche Auswirkungen auf grenzüberschreitende Geschäftsbeziehungen zwischen deutschen Unternehmen und Unternehmen im Vereinigten Königreich haben wird. Denn nach dem Wegfall der Zollunion und des EU-Binnenmarktes werden beispielsweise Warenlieferungen, Dienstleistungen und Finanztransaktionen entweder gar nicht mehr möglich sein, sich verteuern oder verzögern. Rechtliche Auswirkungen in dem Sinne, dass eine Loslösung, etwa in Form einer Kündigung oder einer Anpassung von Verträgen, die solchen Geschäftsbeziehungen zugrunde liegen, nach deutschem Recht möglich wäre, sind allerdings nicht zu erwarten. Die obigen Darstellungen haben gezeigt, dass eine einseitige Loslösung oder Änderung solcher Verträge nicht möglich ist. Die Tatbestandsvoraussetzungen für die Anwendbarkeit von Rechtsgrundsätzen des deutschen Rechts, insbesondere die Lehre von der Störung der Geschäftsgrundlage oder das Freiwerden von der Leistungspflicht infolge einer außerordentlichen Kündigung oder infolge von Unmöglichkeit, liegen nicht vor. Gleiches gilt für möglicherweise in deutschen Verträgen verwandte Rechtsfiguren des internationalen, zumeist dem anglo-amerikanischen Raum entstammenden Rechts. Allenfalls bei Verwendung einer auf den *Brexit* bzw. das Ende des Übergangszeitraums zugeschnittenen MAC-Klausel wäre eine Loslösung vom Vertrag möglich gewesen; solche Klauseln sind aus der Praxis bislang aber kaum bekannt.

Aufgrund der Tatsache, dass eine einseitige Loslösung von im Fall des *Brexit* u. U. erheblich unvorteilhaften Verträgen nicht möglich ist, müssen die Geschäftsleiter der betroffenen deutschen Unternehmen entsprechende Vorkehrungen treffen, um die Auswirkungen des *Brexit* möglichst zu verhindern, zumindest aber abzumildern. Der Vorstand einer AG muss dabei insbesondere die Sorgfaltspflichten gem. § 93 Abs. 1 S. 1 AktG beachten, namentlich die Sorgfalt eines ordentlichen und gewissenhaften Geschäftsleiters anwenden. Dazu hätte der Vorstand unmittelbar nach der Verabschiedung des Gesetzes zum *Brexit*-Referendum am 14. Dezember 2015 Untersuchungen der Geschäftsbeziehungen der von ihm geleiteten AG mit Unternehmen im Vereinigten Königreich anstoßen müssen, um die Betroffenheit dieser AG durch den *Brexit* zu evaluieren. Bei entsprechender

Betroffenheit hätten spätestens ab dem Tag des Referendums am 23. Juni 2016 und dem Bekanntwerden des Ergebnisses Maßnahmen ergriffen werden müssen, diese Verträge durch Verhandlungen anzupassen oder – soweit möglich – vorzeitig zu kündigen. Neue Verträge hätte der Vorstand schon seit dem Bekanntwerden des Termins für das *Brexit*-Referendum nicht mehr abschließen (lassen) dürfen, ohne darin ein außerordentliches Kündigungsrecht oder Rechte zur Anpassung der Vertragsbeziehung vorzusehen. Der Vorstand kann sich auch nach Anwendung des § 93 Abs. 1 S. 2 AktG (sog. *„Business Judgement Rule"*) nicht von einem etwaigen Unterlassen freizeichnen, denn dies würde den Interessen der Gesellschaft zuwider laufen und sie schädigen; damit hätte der Vorstand im Falle des Unterlassens nicht zum Wohle der Gesellschaft gehandelt.

Den Aktionären, deren Kapitalanlage in der AG durch eine pflichtwidrige Geschäftsführung des Vorstandes vermindert wird oder schlimmstenfalls vollständig an Wert verliert, stehen im Wesentlichen zwei Reaktionsmöglichkeiten offen: Soweit die Gesellschaft durch den *Brexit* einen Schaden (einschließlich entgangenen Gewinns) erlitten hat, kann und muss der Aufsichtsrat gem. § 93 Abs. 2 AktG vom Vorstand Schadensersatz verlangen. Die Hauptversammlung kann dem Vorstand außerdem gem. § 84 Abs. 3 S. 2 3. Var. AktG das Vertrauen entziehen, wenn sie mit dessen Umgang im Zusammenhang mit dem *Brexit* nicht einverstanden ist. Daraufhin wird der Aufsichtsrat den Vorstand in der Regel gem. § 84 Abs. 3 S. 1 AktG abberufen. Diese Vorgehensweise kann möglicherweise bereits lange vor einer Pflichtverletzung aufgrund einer vom Willen der Hauptversammlung abweichenden Geschäftsführung angezeigt sein. Sofern sich die Anhaltspunkte für ein entsprechend vermutetes Vorstandshandeln verfestigt haben, ist auch ein antizipierter Vertrauensentzug und eine antizipierte Abberufung möglich.

Die Verknüpfung des *Brexit* mit den Sorgfaltspflichten des Vorstandes zeigt, dass sich die Pflichten des Vorstandes, auf den *Brexit* zu reagieren, mit fortschreitender Zeit verdichtet haben. Nachdem sich ein Austrittsverlangen der britischen Bevölkerung schon über mehrere Jahre abgezeichnet hat und der Brexit schließlich mit Ablauf des 31. Januar 2020 vollzogen wurde, hätte eine Vorbereitung auf das Ende des Übergangszeitraums – als dem Tag, an dem sich die Auswirkungen des *Brexit* tatsächlich zeigen werden – schon lange und vermutlich in der vorhergehenden Amtsperiode des ein oder anderen Vorstandsmitglieds erfolgen müssen. Dennoch wird es zahlreiche Aktiengesellschaften geben, deren Vorstandsmitglieder keine, nur unzureichende oder erst verspätet entsprechende Maßnahmen ergriffen haben, um die Unternehmensinteressen der AG zu wahren. Nach dem Ende des Übergangszeitraums am 31. Dezember 2020 (oder danach) wird die Pflichtverletzung von Vorstandsmitgliedern in jedem Einzelfall zu bestimmen sein. Wenngleich deren umfassende Darstellung ob der Vielzahl solcher möglichen Pflichtverletzungen hier nicht möglich war, wurde hierin jedoch aufgezeigt, dass der Vorstand der AG in Ansehung des *Brexit* und seiner Auswirkungen nach dem Ende des Übergangszeitraums zu bestimmten Handlungen verpflichtet (gewesen) ist. Davon ausgehend können bzw. müssen der Aufsichtsrat und die Hauptversammlung den Vorstand zur Rechenschaft ziehen.

The manufacturer's authorised representative in the EU is Springer Nature Customer Service Centre GmbH, Europaplatz 3, 69115 Heidelberg, Germany. If you have any concerns regarding our products, please contact ProductSafety@springernature.com

Printed and bound by CPI Group (UK) Ltd, Croydon, CR0 4YY
23/03/2026
02076463-0004